EL ABOGADO DE LA MAFIA

MARTHA SOTO

EL ABOGADO DE LA MAFIA

**LOS SECRETOS DE LAS NEGOCIACIONES
Y ACERCAMIENTOS DE LA JUSTICIA DE
ESTADOS UNIDOS CON SALVATORE MANCUSO,
CARLOS CASTAÑO, 'JORGE 40' Y OTROS
CRIMINALES Y CAPOS DE LA MAFIA**

AGUILAR

Penguin
Random House
Grupo Editorial

Título original: *El abogado de la mafia*
Primera edición: agosto, 2022
Primera reimpresión: septiembre, 2022

© 2022, Martha Soto
© 2022, Penguin Random House Grupo Editorial, S.A.S.
Carrera 7 # 75-51, piso 7, Bogotá, Colombia
PBX: (571) 743-0700

Diseño de las páginas interiores: Patricia Martínez Linares
Íconos de apertura de capítulos: da-vooda / Getty Images
Fotografía original de cubierta: © Ysbrandcosijn / Getty Images

Impreso en Colombia – *Printed in Colombia*

ISBN: 978-958-5549-99-9

Compuesto en EB Garamond

Impreso en TC impresores, S. A. S.

Para la mayor gloria de Dios.

CONTENIDO

BAUTIZO
en el
NARCOTRÁFICO

"**M**e dedico a defender a personas tildadas de criminales internacionales. Tengo más casos de extradición que ningún otro abogado y licencia para ejercer en cinco jurisdicciones: Massachusetts, Nueva York, Florida, Rhode Island y el Distrito de Columbia, donde está la Corte Suprema. Para atender clientes, he viajado a diferentes países, como España, Colombia, República Dominicana, Panamá, Venezuela y México. Y, a finales de 2020, en plena pandemia mundial, tomé un vuelo de catorce horas, desde Miami hasta Dubái, para asumir un nuevo proceso. Estuve allí en dos ocasiones.

"En mi lista de clientes han estado los más grandes narcotraficantes y paramilitares de Colombia, esposas de jefes guerrilleros, lavadores y hasta poderosos empresarios que quieren recuperar discretamente sus visas o chequear si están siendo investigados. Cuando apoderé al jefe paramilitar Carlos Castaño intentaron eliminarme. Tengo claro que los negocios con la mafia son serios, de lo contrario, se pagan con la vida.

"Pero la mayoría de los narcotraficantes tienen incluso cierta clase. El problema es cuando crecen y se deben proteger, acudiendo a ejércitos privados. Ahora, el negocio está en manos de los viejos guardaespaldas y sicarios, que son más sanguinarios. Pero hay que tener en cuenta que hay tres tipos de crímenes: los violentos, que van contra las personas; los que afectan la propiedad; y los transitorios. Y, realmente, el crimen que ellos cometen —traficar droga— está proscrito temporalmente por la sociedad, como la venta de alcohol y la de marihuana lo estuvieron en algún momento. En estados como California, Colorado y New Jersey, lo que era antes un delito —consumir hierba— ya no lo es.

"[...] Muchos narcos son como bebés. En la cárcel terminan dependiendo de ti: les tienes que llevar desde noticias de su caso hasta las fotos de su familia, que sufren tanto como ellos. Hay que saber entender la tragedia que viven [...]. Por eso, me ocupo de tenerlos siempre bien informados, de darles apoyo y de mantenerlos al tanto de los casos. Algún día recibí una carta del pequeño hijo de un procesado preguntándome cuándo iba a volver a ver a su padre, cuándo iba a recobrar la libertad. Es muy fuerte [...]. Creo que una de las razones por las que he tenido suerte en mi profesión es porque sé cómo hablarle a un cliente y respeto la confidencialidad. Además, conozco cómo funciona la justicia en Estados Unidos. No veo el mundo en blanco y negro sino con diferentes matices".

Joaquín Pérez quería ser alcalde de Miami, ayudar a los pobres y salvar al mundo, pero terminó convertido en el abogado, confidente y redentor de sanguinarios narcotraficantes colombianos, como Víctor Patiño Fómeque y Leonidas Vargas; de oscuros personajes, como el esmeraldero Víctor Carranza; y de los más poderosos paramilitares, como el asesinado Carlos Castaño Gil.

También apoderó a otros dos "comandantes" de esa estructura criminal, que funcionó por años con el nombre de Autodefensas Unidas de Colombia (AUC): Salvatore Mancuso Gómez, 'el Mono', y Rodrigo Tovar Pupo, alias 'Jorge 40'. A ambos, la justicia de Estados Unidos los dejó en libertad, a mediados de 2020. A pesar de los cientos de crímenes que cometieron, Pérez logró negociar y obtener sentencias moderadas.

Ellos, al igual que la esposa del violento narcoguerrillero del Ejército Popular de Liberación (EPL) Víctor Ramón Serrano Navarro, alias 'Megateo', empezaron a acudir al abogado Pérez para que los ayudara a indagar acerca de sus prontuarios en Estados Unidos o a conseguir penas benévolas, a cambio de acuerdos confidenciales.

Esas negociaciones, que dejan al descubierto el funcionamiento de la justicia estadounidense, reposan en los archivos del Departamento de Justicia, y algunos folios aún están en la lujosa oficina de Pérez, ubicada en una esquina estratégica de Coral Gables, un sector exclusivo de Miami.

Entre otros capítulos de la historia criminal colombiana, allí está el expediente del famoso "cartel de los Sapos", programa patrocinado por agentes de la DEA que agremió a mafiosos de Medellín, de Cali y del norte del Valle en una turbia 'hermandad' de delatores. Los intentos de arreglo y colaboración con la DEA terminaron desatando una sanguinaria *vendetta* que aún cobra muertos entre sus herederos. A pesar de la estela de crímenes, esa confrontación también se ha convertido en series exitosas, con audiencias de sintonía récord, producidas por plataformas audiovisuales internacionales.

En medio de esa guerra fue asesinado uno de los primeros clientes colombianos de Pérez: Julio Correa, pareja de Natalia París. El abogado conoció a la linda modelo mientras le tramitaba a su esposo un acuerdo con la justicia de Estados Unidos y le recomendaba no volver nunca más a Medellín, pero Correa decidió omitir las instrucciones de su abogado.

Los clientes de Pérez, cerca de dos mil, son parte de la historia criminal no contada de Colombia que involucra con la mafia a políticos de alto nivel, generales de la Policía y del Ejército, poderosos empresarios, congresistas activos, dirigentes gremiales y reputados abogados, muchos de cuyos nombres han logrado permanecer en la sombra por años.

Fincado en el secreto profesional, Pérez ha guardado con celo varias cartas en las que le piden que algunos de sus clientes testifiquen en procesos pendientes, calificados de 'trascendencia nacional' o de interés para Estados Unidos. Los oficios, algunos con fecha fresca, están firmados por agentes federales, por fiscales estadounidenses o por fiscales y magistrados colombianos.

Uno de los casos en los que se le pidió el testimonio de uno de sus clientes es el que se le abrió al ganadero Santiago Uribe Vélez, hermano del expresidente de Colombia Álvaro Uribe Vélez. El ganadero fue acusado por la Fiscalía en 2016 de presunto homicidio y de conformación de grupos paramilitares, cargos que siempre ha negado.

Salvatore Mancuso, cliente de Pérez desde hace más de una década, insiste en que tiene información relevante sobre ese y otros expedientes que, según él, le interesarían a la Jurisdicción Especial para la Paz (JEP), el sistema habilitado por el Acuerdo de Paz entre el gobierno de Juan Manuel Santos y la guerrilla de las Fuerzas Armadas Revolucionarias de Colombia (Farc) para documentar y juzgar crímenes cometidos en el marco del conflicto armado colombiano.

En el portafolio criminal que Mancuso guarda, y que les reveló en detalle a autoridades de Estados Unidos, involucra en actos criminales a miembros del Ejército y de la Policía (activos y retirados), a poderosas empresas estatales y privadas y a miembros de la política colombiana. Muchos de ellos han pasado invictos ante la justicia, a pesar de haber tenido nexos con el paramilitarismo desde finales de los años noventa, e incluso después de su desmovilización, en 2006.

"Reconozco el peligro que enfrenta Mancuso si es devuelto a una cárcel en Colombia. Se ha buscado enemigos muy peligrosos capaces de asesinarlo para cobrarle las cuentas por las verdades que entregó a la justicia de Estados Unidos".

En una de las cartas rogatorias, un grupo de agentes federales insiste en que Pérez los ayude a ubicar con su viejo cliente el original de un documento en el que Mancuso cuenta una historia sin epílogo: cómo recibió, de manos de un influyente líder gremial, los nombres de un puñado de magistrados de la Corte Suprema que se podían "influenciar" con jugosos pagos. El propósito del soborno era que, en 2005, saliera elegido un alto funcionario de la Rama Judicial que les podría convenir en su proceso de desmovilización. En Colombia ese caso nunca prosperó.

En otra carta se solicita acceso a Mancuso para aclarar un presunto caso de favorecimiento a paramilitares, por parte de un exmiembro de la Corte Constitucional de Colombia, así como de una millonaria operación de lavado de activos de la fortuna de un jefe de las autodefensas que quedó en manos de un respetable empresario.

La conveniencia de que clientes de Pérez hablen sobre esos casos, que en Colombia nunca se han investigado, ha sido evaluada incluso en Washington por altos funcionarios de la División Criminal del Departamento de Justicia. El Gobierno de Estados Unidos es claro en que, a la luz del Acuerdo de Culpabilidad, son libres de cooperar o no con esas investigaciones, así sean clave para Colombia.

Pérez guarda silencio cuando se le pregunta por esas cartas rogatorias. Sin embargo, en el caso de Mancuso, asesores del exparamilitar en Montería (Córdoba) y en

Bogotá aconsejaron no declarar en algunos procesos aún vivos, ante el "evidente peligro para el testigo [Mancuso], sus familias y hasta sus abogados, sin que ese riesgo le signifique beneficio judicial alguno".[1]

Miembros de la Sección Antinarcóticos del Departamento de Justicia también le empezaron a pedir a Pérez, de manera insistente desde 2009, que les pregunte a algunos de sus clientes sobre Musa Besaile, el oscuro y otrora poderoso senador del departamento de Córdoba, expulsado de la JEP, en julio de 2021, por no aportar información relevante.

La justicia de Estados Unidos observó en silencio cómo Colombia lo capturó casi una década después de que agentes federales empezaron a preguntar por él. Para ponerlo tras las rejas en Colombia, tuvieron que echar mano de evidencia enviada desde Washington y Miami por la DEA.

Interceptaciones telefónicas federales desencadenaron la entrega de Musa Besaile el 5 de octubre de 2017, por conductas que, de paso, destaparon el pago de sobornos a algunos miembros de la Corte Suprema de Justicia colombiana, a cambio de dilatar y engavetar procesos contra políticos que han delinquido.

Pérez sabía desde hacía más de ocho años del interés de la justicia de Estados Unidos por Besaile, pero, de nuevo, guardó silencio, alegando confidencialidad. Y lo mismo hizo con las preguntas que investigadores colombianos le

---

1 Remisión del requerimiento de la Corte Suprema de Justicia de Colombia, 30 de abril de 2015, 10:02 a. m.

formularon sobre Zulema Jattin, exsenadora cordobesa, cuyo proceso marca un récord en la Corte Suprema: una década abierto.

A esta líder local, coterránea de Mancuso y miembro de una poderosa casta política, se le ha indagado sobre presuntamente haber propiciado "la expansión del paramilitarismo y la cooptación del Poder Legislativo", cargos que ella niega desde 2009, cuando se le decretó casa por cárcel.

El 1.º de septiembre de 2021, la JEP informó que Jattin fue aceptada en esa jurisdicción transicional como agente del Estado no integrante de la fuerza pública, en condiciones de aportar verdad que ayude a esclarecer cómo operó el fenómeno de la parapolítica en el departamento de Córdoba entre 2000 y 2007.

En muchos otros procesos, clientes del abogado Pérez accedieron, en secreto, a hacer aportes expeditos y efectivos que terminaron impactando hasta el proceso de desmovilización con la guerrilla de las Farc, entre 2016 y 2017.

Uno de ellos estuvo relacionado con narcotraficantes que se querían colar en la lista de exguerrilleros arrepentidos, cuya información deslizó discretamente uno de sus prohijados, en enero de 2017.

Pérez viajó a Colombia con datos que incluso dejaban al descubierto comodidades de las que disfrutaba tras las rejas uno de los narcotraficantes que posaba de jefe guerrillero. Con la tolerancia de un par de guardianes del Instituto Nacional Penitenciario y Carcelario (Inpec), tenía en su celda colchón ortopédico, televisor de pantalla plana que cubría de extremo a extremo las paredes, portátiles con conexión a internet 24 horas y celular.

Después de hacer una hora de *cardio* en el gimnasio del hotel, y de una ducha helada, Pérez abordó el tema con agentes federales durante una minicumbre en el sobrio J. W. Marriott, ubicado en el norte de Bogotá. Todo transcurrió en menos de 45 minutos, en un lujoso reservado en el que estuvieron presentes una periodista colombiana y tres agentes que saludaron al abogado con familiaridad y respeto.

Menos de una semana después, el capo de las comodidades y, luego, otros colados fueron expulsados de la lista de desmovilizados de las Farc. Y se encontró una decena más de mafiosos, hasta extranjeros, tratando de hacer la misma trampa. Estados Unidos tiene en marcha una investigación sobre los pagos que recibieron mandos de las Farc por mimetizar a mafiosos en sus filas y aprovechar los beneficios del proceso de paz con el gobierno Santos.[2]

El episodio generó molestias y enemistades de personal del Inpec en contra de Pérez. De esa indagación se desprendió, luego, el rastreo a Seuxis Paucias Hernández Solarte, alias 'Jesús Santrich', que pasó de ser negociador del proceso de paz a objetivo del 'Tío Sam' y, luego, a jefe de las disidencias de la llamada Segunda Marquetalia.

---

2 'El dosier de la DEA contra capo amnistiable de las Farc', Unidad Investigativa, diario *El Tiempo*, 30 de enero de 2017.

'Santrich' terminó muerto, el 17 de mayo de 2021, en un operativo ejecutado por un comando armado en territorio venezolano, cuyos detalles y autores solo conocen un puñado de personajes.

Una linda colombiana fue clave en la ubicación de 'Santrich', al igual que dieciocho hombres armados hasta los dientes que atacaron su campamento con granadas y fusiles contramarcados con el sello del Ejército venezolano. En menos de quince minutos, el exguerrillero perdió la vida y una falange del dedo meñique de su mano derecha, la prueba reina de que está muerto.

Hay un pacto de silencio para no revelar quiénes fueron los 'cerebros' de ese operativo ni la identidad de la astuta colombiana, conocida como 'la Teniente' entre sus colegas, quien logró que el exguerrillero se fijara en ella.

Lo único que se puede revelar es que 'la Teniente' fue quien se encargó de cautivar al guerrillero después de que varias fuentes humanas dieron las coordenadas exactas de su ubicación, en Villa del Rosario de Machiques (Venezuela).

El régimen de Nicolás Maduro esperaba que la santera 'Yolba' curara la ceguera de 'Santrich', producto de una enfermedad degenerativa. 'Santrich' se estaba tropezando y cayendo con mayor frecuencia en el campamento, lo que lo hacía depender de otros. 'La Teniente' capitalizó sus encantos y la limitación de 'Santrich', y, después de varias semanas, le dijo que ella debía volver a Colombia a ver a su familia.

Se ausentó por un mes, el tiempo suficiente para asegurarse de que el escurridizo guerrillero la extrañara y accediera a reencontrarse con ella de inmediato. Tal vez 'Santrich' murió sin saber que la mujer fue el señuelo, que uno de sus hombres lo entregó y que varios de los lugareños que se encontraban en la zona eran colegas de 'la Teniente', que venían haciendo labores de inteligencia en terreno.

Otro equipo del mismo grupo élite ejecutó el golpe de mano, abandonó las armas y granadas en el campamento y salió en un helicóptero amarillo, en una especie de escudo aéreo del que un grupo de militares venezolanos estuvo enterado. Y con la falange de 'Santrich' intentaron incluso cobrar la recompensa de 10 millones de dólares que Washington ofrecía y que la CIA ordenó no pagar.

Siete meses después, en operativos muy similares, también fueron aniquilados en territorio venezolano Henry Castellanos, alias 'Romaña', y Hernán Darío Velásquez, alias 'el Paisa', operativos que dejaron heridas de muerte a las disidencias lideradas por 'Iván Márquez', que mermadas, anunciaron que están dispuestas a negociar con el gobierno de Gustavo Petro.

En 1978, Pérez se graduó con honores del Boston College, donde estudió con John Kerry, excandidato a la Presidencia de Estados Unidos. Recién cumplidos los veinticinco años, le dieron una beca que buscaba convertirlo en el primer abogado cubanoamericano en trabajar en favor de la comunidad hispana asentada en el estado de Rhode Island.

Desertó, a principios de 1982, luego de ser reclutado por el equipo de la fiscal del área de Miami, Janet Reno, quien años después se convirtió en la poderosa fiscal general, la primera mujer en ocupar ese cargo en Estados Unidos, desde donde capoteó varios escándalos del gobierno de Bill Clinton. Con Reno y su equipo, Pérez recibió una especie de entrenamiento intensivo para lo que le esperaba en Colombia.

Estuvo varios años en esa orilla, pero decidió volver a trabajar como defensor público y en 1985 se independizó y se inició en la práctica privada del derecho. En Miami conoció a Adolfo Águila Rojas, un cubanoamericano, como él, que estaba representando al narcotraficante hondureño Juan Ramón Matta Ballesteros, radicado en Colombia. Sin saberlo, ese colega se convirtió en su pasaporte de entrada al mundo de la mafia.

Cierto día, Águila Rojas le dijo que se hiciera cargo del proceso contra un capitán de un barco que había caído en Key West con 1.500 kilos de marihuana colombiana, y ahí comenzó esta historia.

"Era un moreno americano, que estaba ebrio cuando lo capturaron. Las instrucciones que me dieron fueron claras: No digas nada, no le preguntes nada. Ve a juicio, y si lo condenan, lo condenan. Y, en efecto, así pasó. El fiscal era Ted Bandstra, quien luego se hizo juez. Y el juez principal

del caso era Loren Kins, quien lo envió a prisión con una sentencia severa [...]. Meses después recibí una llamada desde Colombia y al otro lado de la línea un hombre me dijo: 'Yo era el dueño de la marihuana del barco y ahora me están procesando por traficar con cocaína. Necesito que me ayude, pero yo no quiero ir a juicio ni a prisión. Quiero negociar'. Ahí aprendí que en las estructuras narcas una de las reglas es que los de arriba son los que negocian y los de abajo van a juicio y a la cárcel [...]. En mi caso, cuando tengo que pelear, peleo y voy a juicio, así no les simpatice a los agentes federales que llevan el proceso. Pero esa táctica es un arma de doble filo porque en algunas cortes las peleas son 'globales': los fiscales y jueces a los que tú te enfrentas les dicen a otros y vas acumulando esa fama. Esa es la disyuntiva de un abogado. Cuando desafías a los fiscales y a los agentes, engendras enemistad, pero es importante que tus clientes sepan que tú peleas y defiendes sus intereses y no los de los agentes. No puedes servir solo como un peón de la Fiscalía. Ese es el dilema del abogado: hacerse respetar como alguien que sabe negociar, pero que también es capaz de desafiar al sistema cuando ve una injusticia".

La lección sobre cuándo negociar o ir a juicio le quedó aprendida con dos casos emblemáticos que, de paso, lo catapultaron ante los medios de comunicación de Estados Unidos y pusieron a sonar su nombre en el bajo mundo del narcotráfico colombiano.

El primero fue el de Ramiro y Juan Ramos, dos modestos hermanos latinos, con rostros asustadizos, botas de caucho y overoles sucios a los que Pérez aceptó representar. Fueron acusados de mantener en una especie de 'gueto', en condiciones de esclavitud, a cerca de mil humildes recolectores de naranjas que eran usados por multimillonarias compañías que procesaban y vendían la fruta en el mercado estadounidense.

El caso concentró la atención de Estados Unidos porque esa poderosa industria es la que más dinero les irriga al estado de Florida y a millonarias compañías; y era imposible que no supieran que la mano de obra eran campesinos mexicanos ilegales a quienes les pagaban una miseria.

"Los dos hermanos estaban encargados de reclutar y traer a Florida a los mexicanos ilegales como recolectores. Es un trabajo arduo e inhumano, que no hacen los americanos por ningún dinero. Se cortan las manos y trabajan a temperaturas superiores a los 38 grados en escaleras, bajando las naranjas. Yo estaba convencido de que eran inocentes y los chivos expiatorios de una conducta ejecutada por la industria. Por eso, rechacé el arreglo que me ofrecieron los fiscales de Washington de darles únicamente tres años de cárcel. Una de las personas más ricas del país, ligada a ese negocio, testificó y dijo que no sabía que los trabajadores eran ilegales. Yo me cegué y creí que podía demostrar que esa práctica era parte del sistema. Al final, fueron sentenciados a doce años, después de un juicio de cuatro semanas que fue cubierto por la prensa nacional, incluidos reporteros enviados por The New York Times. Después, siguieron llegando ilegales y siguieron favoreciendo a los más poderosos, que los contrataban.

El sistema es así. Es una pelea desigual, de doble moral. Desde ese día prometí que eso no me iba a volver a pasar".

El otro caso que le dejó claro cuándo negociar y cuándo ir a juicio fue el de un piloto de la Fuerza Aérea Colombiana (FAC) que terminó sirviéndole de enlace con el primer mafioso en su lista de clientes: Leonidas Vargas Vargas, alias 'el Viejo', socio del poderoso y sanguinario Gonzalo Rodríguez Gacha, alias 'el Mexicano'.

Leonidas Vargas era un humilde carnicero iletrado de El Doncello, un pueblo ubicado en el departamento de Caquetá, sur de Colombia, plagado de matas de coca que crecen a 30 grados Celsius de temperatura entre árboles de caucho y guerrilleros disidentes de la otrora Farc.

El carnicero logró ascender rápidamente en la estructura mafiosa del cartel de Medellín gracias a su violencia y sagacidad, como también a que era uno de los más efectivos gatilleros de 'el Mexicano'.

Leonidas empezó a acumular poder económico y militar cuando negoció con un oficial de la Policía varios fusiles AUG con mira telescópica y proveedor de quince tiros; dos R-15 con culata retráctil; tres fusiles FAL, de las Fuerzas Armadas de Venezuela; una pistola Colt 45, y mucha munición.[3]

---

3   Corte Suprema de Justicia, proceso 12885, 25 de mayo de 1999.

Su poderío y sus nexos con la guerrilla le permitieron empezar a hacer sus propios envíos de panelas de cocaína al mexicano Amado Carrillo, el jefe del cartel de Juárez, que murió en 1997 tirado en un quirófano y convertido en un monstruo, tratando de hacerse cinco cirugías plásticas simultáneas, incluida la de respingarse la nariz, para que la DEA no lo reconociera y así no lo capturara.

Bajo los sellos de Reina Bis y Centavo Uno, Leonidas Vargas empacaba cuidadosamente en Colombia la droga con la que Amado Carrillo nutría el mercado estadounidense. Vargas también le ayudaba a Carrillo a reclutar pilotos colombianos para conformar un imperio mafioso a través del movimiento de cocaína a gran escala, en aviones 727, los más vendidos de la Boeing en la década de los ochenta.

Con una longitud de 46 metros y tres motores, los aparatos tenían la capacidad de aterrizar en pistas cortas, como las que la mafia habilitaba en selvas y ciudades intermedias. Según registros oficiales de la Boeing, en ese momento Colombia era el principal usuario de esta clase de aeronaves.

Aparatos de este tipo salían repletos de cocaína en decenas de narcovuelos por los que Carrillo empezó a ser conocido entre agentes antimafia como 'el Señor de los Cielos', sin que supieran que su 'copiloto' oficial y de confianza era el carnicero colombiano.

Avezados, jóvenes y corruptos capitanes les sacaban la mercancía por aeropuertos públicos o pistas clandestinas y la llevaban directamente a Estados Unidos, inundando de droga las calles de Los Ángeles, Miami y Nueva York, y de dólares a Carrillo y a Vargas. Estos les compraban la cocaína a las Farc y les pagaban con armas y municiones, alimentando por décadas la guerra en Colombia.

Un puñado de esos pilotos cayeron en México llevando droga de alta pureza, algunos sin saber qué era lo que cargaban. A través de un informante, el FBI pudo grabar a un grupo de más de ocho narrando entre risas y bromas sus aventuras, en las que movían droga a Estados Unidos. En medio de anécdotas de turbulencias, rutas clandestinas y coordenadas, dijeron que su patrón era Leonidas Vargas, alias 'el Viejo' o 'Don Leo', y de inmediato el excarnicero quedó en la mira del FBI.

En archivos públicos consta que dos de los capturados eran de apellidos Sierra Pastrana y estaban recién salidos de la FAC.

Además de ambición, contaban con expericia, manejo de rutas comerciales internacionales y licencias vigentes, aprobadas por funcionarios de segundo nivel de la Aeronáutica Civil de Colombia (Aerocivil). En esa época, el director de la Aerocivil era Álvaro Uribe Vélez, luego presidente y senador de la República, quien siempre ha negado cualquier nexo con la aprobación de ese tipo de licencias.

Los hermanos Sierra Pastrana eran varios. El primer permiso para volar lo obtuvo Miller, el 10 de marzo de 1981, bajo el número 3422. Y un año después, el 16 de junio de 1982, le salió el permiso a Óscar Humberto, a quien le correspondió la licencia 3717. Durante varios meses, sin embargo, volaron con licencias provisionales, en la categoría de alumnos de piloto.[4]

Dos de los Sierra Pastrana fueron los primeros colombianos en aparecer en las gruesas libretas azules con lomo rojo y páginas rayadas, en las que el abogado Joaquín Pérez anota los nombres de sus clientes, viajes y bitácoras diarias de su práctica privada del derecho.

"En 1993, cuando el FBI grabó a los pilotos, Miller Sierra me contactó y me pidió que me hiciera cargo del caso en el que estaban involucrados sus hermanos Argemiro y Óscar Humberto" [dice, sin dar mayores detalles del proceso, bajo el argumento de la confidencialidad].

En los *indictments* que reposan en el Tribunal de Miami y en los registros de la Interpol hay detalles de esa historia, que se cruza con la génesis de varios miembros del cartel de Medellín.

Los Sierra Pastrana eran un grupo de pilotos de familia acomodada de Villavicencio, una ciudad ubicada en el centro-sur de Colombia, frontera con extensas selvas y cultivos de todo tipo, incluidos los de coca.

Algunos fueron enviados desde muy jóvenes a hacer el curso de oficial a la FAC, costoso privilegio reservado para unos pocos. Tiempo después, Miller pasó de ser un destacado piloto a un próspero industrial, dueño de una

---

4 Congreso de la República de Colombia, 16 de septiembre de 2014, debate sobre paramilitarismo en Colombia. senador Iván Cepeda.

fábrica de toallas y de predios en los departamentos del Meta, Caquetá y Tolima.

En la Interpol y en los archivos del viejo y desaparecido Departamento Administrativo de Seguridad (DAS) reposan informes en los cuales Miller es catalogado como un presunto piloto cercano a poderosos narcotraficantes colombianos. Se señala que trabajó para el cartel de Medellín, con 'el Mexicano', pero luego de que este fue abatido, el 15 de diciembre de 1989, entró a la organización de Leonidas Vargas, el mayor abastecedor de 'el Señor de los Cielos'.[5]

Los mismos expedientes mencionan un episodio en Tananta, un pequeño pueblo en las profundidades de la selva del Perú, a 1.300 kilómetros al norte de Lima, donde aparecieron en una lista de capturados dos colombianos con esos mismos apellidos. El 29 de julio de 1983, las autoridades sorprendieron a un grupo de seis hombres mientras transportaban una tonelada de cocaína en avionetas con matrícula colombiana.

Los temerarios jóvenes aterrizaron los aparatos en una polvorienta y desigual pista clandestina, maniobra que se convirtió en noticia nacional en Perú. Hasta el ministro del Interior de la época, Luis Pércovich, salió entre reflectores, cámaras y grabadoras a entregar declaraciones sobre el gran golpe al narcotráfico.

Pércovich aseguró que se indagaba si Sendero Luminoso, la entonces poderosa guerrilla de ese país, era la que

---

5 Departamento de Seguridad (DAS) e Interpol Colombia, *Informe*, 30 de octubre de 1990.

estaba nutriendo de pasta de coca a los pilotos colombianos arrestados. Según informes de agentes federales, los colombianos volaban en cuatro aviones bimotor. Uno de los pilotos ya había aterrizado en una improvisada pista secreta, en plena selva, y la Policía de Perú obligó a otros dos, con disparos de ametralladora, a tocar tierra. El cuarto alcanzó a escapar en la otra aeronave.

"Los 1.175 kilos de pasta básica de cocaína incautados el sábado cerca al aeropuerto de Tananta, en la Amazonia peruana, fueron llevados ayer a Lima por el propio jefe de la operación, comandante Tito Díaz Anayo. El oficial dijo que los detenidos, Ayron Jiménez López, mayor de la Fuerza Aérea Colombiana (FAC); Nelson Fabio Sierra, alférez de la misma Fuerza; los oficiales de la reserva de la FAC, Óscar Sierra Pastrana y León Arenas Párraga, y el peruano Guadalupe Ríos, fueron arrestados en el momento en que intentaban llevar la droga en dos avionetas de matrícula colombiana con destino a su país. La enorme carga de pasta básica de cocaína, la más grande que había intentado salir de Perú, estaba camuflada en 35 latas de diversos colores y su valor estimado fue de 40 millones de dólares. El comandante Díaz añadió que junto con la droga se incautó dinero colombiano, mapas de las selvas peruana y colombiana, armas y municiones, además de otros implementos", señalaron medios locales.[6]

Nadie lo comprobó judicialmente, pero en la mafia decían que varios de los capturados ese día fueron resca-

---

6 "Perú aprehende una tonelada de droga". *Última Hora,* 1 de agosto de 1983.

tados luego, en un operativo pagado por la mafia. Tampoco se estableció si era cierto que Sendero Luminoso era el proveedor de la pasta de coca incautada. Su jefe, Abimael Guzmán, murió el 11 de septiembre de 2021 de una neumonía, en la Base Naval del Callao (Perú), donde purgaba cadena perpetua tras ser calificado como el más grande genocida y terrorista de ese país.

En México, con las interceptaciones en poder del FBI, no había plan de escape para los pilotos que habían sido grabados. Los federales ya los tenían en el radar y dos de ellos buscaron al abogado Pérez, cuyo nombre ya se escuchaba entre los mafiosos por el caso Key West.

El abogado Pérez no dice cómo, pero logró que Argemiro Sierra Pastrana, el único al que aceptó representar, recibiera una condena de 135 meses de cárcel. Según el Bureau de Prisiones de Estados Unidos, el 29 de agosto de 1991 el piloto colombiano fue condenado; quedó en libertad el 22 de octubre de 2001 y de inmediato fue deportado a Colombia.[7]

Años después, Argemiro reincidió y ya no estaba Pérez para defenderlo. En mayo de 2012, la Corte Suprema de Justicia de Colombia, Sala de Casación Penal, emitió concepto favorable para la solicitud de su extradición, formulada por el Gobierno de Argentina.

---

7 Federal Bureau for Prisons, register 27559-054, Argemiro Sierra Pastrana.

La más reciente noticia sobre él se produjo en agosto de 2018. En el arranque de ese mes se supo que Argentina lo repatrió a Colombia luego de pagar nueve años de cárcel por narcotráfico.

También en 2012, su hermano Óscar Humberto intentó, sin suerte, tumbar una vieja condena por el hallazgo de rastros de cocaína en una aeronave en la que iba de copiloto.[8] Además, interpuso toda suerte de recursos para frenar su extradición a Estados Unidos, donde era requerido por delitos federales de narcóticos, según la acusación sustitutiva No. 10-20798-CR-COOKE(s) y la orden de arresto, dictadas y emitidas en la Corte Distrital de los Estados Unidos para el Distrito Sur de Florida.[9]

"En medio del proceso contra los Sierra Pastrana, recibí el mensaje de que Leonidas Vargas quería conocerme y esa fue la primera vez que viajé a Colombia, a mediados de 1991. Estaba maravillado de ir, porque soy aventurero. Pero era un país prácticamente fallido e inviable: el gobierno controlaba una parte; la organización izquierdista Farc, otra; y el resto estaba bajo el dominio de las autodefensas, organización paramilitar de extrema derecha [...]. Recuerdo

---

8 http://consultaprovidencias.cortesuprema.gov.co/visualizador/ ZmlsZTovLy92YXIvd3d3L2h0bWwvSW5kZXgvMjAwMC9Eci5Kb-3JnZSBFLiBD83Jkb2JhIFBvdmVkYS9TZXB0aWVtYnJlLzE2NT-cyc2VwLmRvYw==/Penal/Sierra%20Pastrana

9 http://consultaprovidencias.cortesuprema.gov.co/visualizador/ ZmlsZTovLy92YXIvd3d3L2h0bWwvSW5kZXgvMjAxMi9Eci5M-de1zlEd1aWxsZXJtbyBTYWxhemFyIE90ZXJvL01heW8vMzc4M-jEoMTYtMDUtMTlpLmRvYw==/Penal/Sierra%20Pastrana

que cuando llegué a Bogotá no había ni siquiera teléfonos celulares, tecnología que ya se estaba desarrollando incluso en Venezuela. Ningún abogado estadounidense estaba dispuesto a viajar a Colombia por las condiciones precarias de seguridad, por el narcoterrorismo y por la alta tolerancia de la sociedad con la mafia. En algunos lugares eran vistos como Robin Hood. Solo para que tengas una idea, las compañías de seguros no expedían pólizas para que aviones privados viajaran a este destino por miedo a que fueron robados y puestos al servicio del narcotráfico [...]. Había paramilitares, Farc, delincuencia, corrupción. Viajé a ciegas, no sabía quién era quién y no tuve la precaución de contratar un guardaespaldas que me esperara en el aeropuerto El Dorado o una camioneta blindada. Recuerdo que me quedé en un hotel de apartamentos que no era de lujo.

"Era la época de los grandes carteles y Pablo Escobar estaba vivo y fugitivo [...]. Leonidas Vargas, el otro gran capo del momento, se encontraba preso en la cárcel La Picota, y cuando llegué a ese penal, había una gran fiesta, con mariachis, comida de todo tipo y licor, porque uno de sus lugartenientes estaba de cumpleaños. Pensé: 'Aquí los locos controlan el manicomio'. Yo estaba acostumbrado al estricto sistema carcelario de mi país y en esa época en La Picota, las celdas eran miniapartamentos que los detenidos podían intervenir y adecuar a su gusto con mueblería extravagante. Vargas me hizo un recorrido por la cárcel y me regaló unas botas grises que hacían en unos talleres y que llevaban sus iniciales [LV]. Mientras recorríamos el penal, me contó que a él lo empezaron a extorsionar, y tuvo que armar un ejército privado. Luego me pidió que averiguara

si su nombre ya estaba bajo la lupa de las autoridades de Estados Unidos. Yo estaba llevando en esa época el caso de los pilotos: y ya sabía que el agente del FBI Vincent Pankoke era el que estaba averiguando por el patrón de los pilotos. Pankoke es el mismo que, tras retirarse del FBI, se dedicó a investigar, junto con un grupo de forenses, quién le reveló a la Gestapo el escondite de Ana Frank, en 1944, en su refugio de Ámsterdam".

A Pérez, siempre pulcro, con uñas barnizadas y un discreto aroma a loción, lo convidaron en el festín de La Picota a un plato lleno de las carnes, frituras y garnituras que estaban ofreciendo para celebrar el cumpleaños del pistolero de Vargas.

En ese momento se había pagado un millón de pesos colombianos para envenenar al capo y a sus lugartenientes en la cárcel, pero el abogado cubanoamericano no lo sabía.

Aunque viajar a Colombia era de alto riesgo y peligro, Pérez ya había tenido un entrenamiento previo, cuando se desempeñó como fiscal en Miami, a órdenes de Janet Reno.

La mafia colombiana campeaba en esa ciudad, a la que habían convertido en el epicentro de los primeros envíos de cocaína y en el dormitorio favorito de capos que empezaron a lavar sus fortunas levantando lujosos y estrambóticos edificios en la paradisiaca ciudad.

Al desembarco de capos colombianos se unió la llegada a Miami de decenas de cubanos con antecedentes penales, expulsados desde el puerto de Mariel, que en su mayoría, según la DEA, se dedicaron a traficar droga o a estafar gente.

El hampa les empezó a tomar tanta ventaja a las autoridades locales que la revista *Time*, una de las más influyentes y reconocidas de Estados Unidos, publicó de manera descarnada lo que estaba ocurriendo. Calificó a Miami como 'El paraíso perdido', en referencia al crimen rampante que la golpeaba.

Describió cómo los violentos capos colombianos eran los patrones de la ciudad y cómo la guerra de las drogas dejaba decenas de muertos en calles y cajuelas de carros. La situación era tan dramática que cada 24 horas se hallaban mínimo dos cadáveres. Las mismas escenas que Pérez encontró tras su aterrizaje en Colombia.

"El sur de Florida es golpeado por un huracán de delincuencia, drogas y refugiados", decía el arranque de la nota publicada en *Time* en 1981, refiriéndose a los colombianos y a la avalancha de cubanos con antecedentes.[10]

"En los ochenta, Miami era lo más parecido a Medellín. Acababan de llegar los 'Marielitos' y la ciudad era el centro de la droga. Los grandes capos eran Augusto 'Willie' Falcon y Salvador 'Sal' Magluta, cubanoamericanos que empeza-

---

10 "South Florida, paradise lost", revista *Time*, 23 de noviembre de 1981.

ron a trabajar con los carteles colombianos. Andaban en autos lujosos, patrocinaban equipos de lanchas deportivas, en las que transportaban la droga, y mataban gente. Había ajuste de cuentas en las calles, sicarios, y hasta algún carro bomba. Si te acuerdas de la película Caracortada, esa era la realidad de Miami, ellos actuaban como si fueran dueños de la ciudad".

Falcon y Magluta, los cubanos de los que habla Pérez, eran conocidos como los 'Cocaine Cowboys' ('Vaqueros de la Cocaína') y fueron los primeros socios en Estados Unidos de los carteles de Cali y de Medellín.

En ese momento se investigaba si era cierto que tenían nexos con narcotraficantes colombianos, uno de ellos condenado en Estados Unidos a 40 años de cárcel, que envejece en un calabozo mientras insiste en su inocencia.

Había mucha evidencia sobre las andanzas y los negocios de Falcon y Magluta, Resultaron absueltos de su primer juicio, en 1996, aunque después se comprobó que varios miembros del jurado habían recibido tentadores pagos para no procesarlos. Ambos siguieron bajo el foco de las agencias antimafia; Pérez recuerda que, para ese momento, se sabía que Falcon les lavaba jugosas sumas a mafiosos colombianos. Escasamente se llegó a establecer que sus socios eran miembros de los carteles colombianos, responsables de los crímenes con sicarios, de ajustes de cuentas y de los tiroteos que llevaron a que Miami fuera comparada con una ciudad del Viejo Oeste americano, una trama que, décadas después, despertó el interés de una de las gigantes productoras de contenido audiovisual.

En 1981, cuando el abogado Pérez estaba recibiendo de manos del gobernador de Rhode Island el premio Hispanic Human Services por los servicios prestados a la comunidad latina más pobre, el saldo de muertos por violencia en Miami era de 600 personas al año.

Pérez recuerda que, además de cocaína y capos, Miami empezó a recibir a los famosos sicarios colombianos. En Medellín, sede del más grande cartel del narcotráfico que ha tenido el país, se 'patentó' la técnica de reclutar y formar asesinos.

El sanguinario y efectivo mecanismo fue exportado hacia Miami por mafiosos como Griselda Blanco. La narcotraficante, conocida con el alias de 'La Ballena' o 'la Viuda Negra',[11] le sumó al ya macabro método la decapitación y el descuartizamiento de las víctimas, cuyos miembros eran embolsados y abandonados en las esquinas de Miami.

La letalidad de los sicarios cobró rápidamente fama en el bajo mundo, e incluso está documentado que fue el colombiano Juan Carlos Correa quien se encargó de atentar contra uno de los testigos en el juicio contra los famosos 'Cocaine Cowboys'. En 1993, cuando Correa tenía 33 años, agentes federales lograron que, a través de Janet Reno, se le concediera una visa especial, por 24 horas. Con ese documento, y después de que lo intentaron

---

11 Martha Elvira Soto Franco. *La Viuda Negra*, Intermedio Editores, 2013.

matar en Medellín, el hombre viajó a Estados Unidos, de donde había sido deportado, para rendir testimonio ante agentes de la DEA que lo esperaban en Fort Lauderdale.[12]

Admitió que él estrenó la modalidad carro bomba contra Tony Posada, socio de Falcon, quien sobrevivió milagrosamente y alcanzó a declarar en su contra.[13] Además, entregó evidencia contra otros sicarios, información que le alcanzó para entrar al programa de protección de testigos del Gobierno de Estados Unidos.

"El 1 de junio de 1990, en Miami, Florida, Magluta y Falcon indujeron y adelantaron un intento de asesinato de Antonio 'Tony' Posada, al ponerle un artefacto explosivo en su automóvil", se lee en el *indictment* contra los dos narcotraficantes.

En el expediente también está incluido el testimonio juramentado del agente del FBI Gene Kuyrkendall, asignado a la oficina de Miami, en el que asegura que Falcon y Magluta traficaban desde 1979 y que ya habían sido arrestados en Marina del Rey, California, en 1985, portando nombres falsos y vendiendo cocaína colombiana. Además, Kuyrkendall señaló que ellos eran los supervisores y cabezas de una conspiración y daban ins-

---

12 "In Pursuit of Willy & Sal, Part 1". *Miami New Times*, 25 de febrero de 1999.

13 "Death trails witnesses in drug case". *Journal Times*, 26 de julio de 1993.

trucciones a otros diez miembros de la red, sus asociados, que también fueron procesados.[14]

"Recuerdo que a Luis Escobedo, alias 'Wichi', otro de los testigos en el juicio contra Falcon, lo mataron el día que pasó por Miami el huracán Andrew, en agosto de 1992, dejando graves destrozos. Dos sicarios le dispararon a sangre fría cuando salía de Susane, una de las discotecas más lujosas de la ciudad en aquel entonces. Ese fue un caso tenebroso. Por eso lo recuerdo tan bien y por eso ir a Colombia era una aventura para mí".

Griselda Blanco, Pablo Escobar Gaviria y Carlos Lehder estaban entre los proveedores de Falcon y de Magluta. Con ellos, llenaron de sangre las calles de Miami, pero también de lujosas propiedades, que aún siguen en pie, con las que lavaban las ganancias del negocio ilícito.

Lehder —quien recuperó su libertad el 16 de junio de 2020, tras pagar 33 años de cárcel— tenía una isla en Bahamas desde donde 'disparaba' la cocaína colombiana a las costas de Florida. Y, según uno de sus socios de la época, adquirió un concesionario de camionetas Blazer en la paradisiaca Miami para completar las 'vueltas'. Desde allí exportaba los vehículos a Colombia con

---

14 United States District Court Southern District of Florida, Miami Division; case 99583. United States of America vs. Salvador Magluta, Augusto Guillermo Falcon, Richard Martínez, Leonard Marck, Richard Passapera, Miguel Vega, Jorge Hernández, Manuel Arturo Arisso, Eduardo Lezcano, René Silva, Luis Valverde y John Doe, 9 de enero de 1999.

los paneles de las puertas repletos de dólares producto de la venta de la mercancía. En Medellín, las Blazer eran recibidas por los lugartenientes de Pablo Escobar, que, ante la abundancia, enterraban los dólares en caletas.

Se calcula que solo Falcon y Magluta importaron más de 80 toneladas de cocaína (casi toda colombiana), acumulando ganancias cercanas a los 2.500 millones de dólares de la época.[15]

Cuando Pérez llegó a Bogotá, las cosas estaban peor que en Miami. Con el narcoterrorismo, Pablo Escobar pretendía arrodillar al país: asesinaba a diario a civiles, periodistas, jueces y ministros. Además, Escobar no estaba solo en el mapa del hampa, la violencia y la criminalidad.

El 6 de octubre de 1990, el piloto Miller Sierra Pastrana fue secuestrado por miembros de la guerrilla de las Farc, las principales proveedoras de coca de Leonidas Vargas.

El secuestro del piloto se produjo en pleno centro de Bogotá, poco después de que, en un operativo en Tolú, departamento de Sucre, la Policía dio de baja a 'el Mexicano', el otro socio de Leonidas Vargas.

Miller Sierra duró veinte días en cautiverio hasta que, en un cinematográfico operativo, la Policía Metropoli-

---

15 "Falcon and Magluta", *The New York Times*, 12 de febrero de 1992. United States of America vs. Willie Falcon and Salvador Magluta. 16 de enero de 2009.

tana de Bogotá, al mando del destacado general Nacim Yanine Díaz, lo rescató a sangre y fuego en Pasca (Cundinamarca).

Tras el espectacular despliegue policial de ese viernes, 26 de octubre de 1990, empezó a correr la voz de que escuadrones especiales de la Policía le acababan de rescatar al narcotráfico a una ficha clave para los envíos de cocaína al exterior. El general Yanine salió a sofocar el escándalo declarando ante los medios que no sabía que el supuesto industrial al que había liberado, en un complejo y costoso operativo, había estado detenido por narcotráfico. Además, en ese momento Sierra no tenía ninguna orden de captura en su contra.

El secuestro del piloto y la neutralización de 'el Mexicano' llevaron a Leonidas Vargas a refugiarse en sus guaridas, incrustadas en las selvas de Caquetá. Allí se creía a salvo, pero un anónimo que llegó a las instalaciones de la Policía colombiana selló su suerte y, de paso, el futuro profesional de Joaquín Pérez.

El anónimo advertía que, tras la muerte de 'el Mexicano', Vargas se había convertido en el principal aliado de Pablo Escobar y era el enlace entre el jefe del cartel de Medellín y el esmeraldero Víctor Carranza. El informante también entregó datos exactos sobre el paradero de Leonidas Vargas, que, con apenas 43 años, ya tenía una investigación por narcotráfico, dos ingresos a la cárcel y una incalculable fortuna, buena parte a nombre de su linda esposa, Bélgica Joven.

Según el anónimo, después de las fiestas de fin de año, Vargas solía ir al Casino Caribe, ubicado a espaldas del

Hotel Cartagena Hilton, a jugarse parte de las ganancias del tráfico de droga entre turistas extranjeros y el *jet set* criollo. La Policía sabía que la persona que les estaba suministrando los datos era Jorge Velásquez González, alias 'el Navegante', el mismo que les había dado las coordenadas exactas para ubicar y dar de baja a 'el Mexicano', el 15 de diciembre de 1989. Por eso, no dudaron en proceder.

"Velásquez González era un experto motorista que sabía cómo mover a 'el Mexicano' y a 'Vargas' por los codos y afluentes del río Magdalena. Ambos confiaban ciegamente en sus habilidades como navegante y en que nunca iba a revelar las coordenadas de las haciendas cercanas al cauce del río donde ellos se escondían. Pero, primero, 'el Navegante' entregó a Gonzalo y luego a Leonidas", reveló uno de los hombres de confianza de Rodríguez Gacha.[16]

La madrugada del miércoles 6 de enero de 1993, la Policía desplegó un megaoperativo en la tropical Cartagena para ingresar discretamente al exclusivo casino, repleto de turistas y lugareños. Allí encontraron a Leonidas Vargas apostando en la ruleta, rodeado de amigos y de tres guardaespaldas. Sus pistoleros intentaron reaccionar, pero la Policía los neutralizó y se llevó preso al capo. A los trece días, la Fiscalía le expidió una medida de aseguramiento por homicidio, enriquecimiento ilícito, narcotráfico y porte ilegal de armas y lo envió a La Picota, donde lo encontró el abogado Pérez.

---

16 Entrevista con la autora, 21 de noviembre de 2021.

"Leonidas quería saber lo que casi todos buscan averiguar: qué había contra él en Estados Unidos y si tenía riesgo de ser extraditado. Lo visité un par de veces más en las cárceles La Picota y La Modelo, y recuerdo una anécdota: siempre me llamó la atención que estaba acompañado de una enfermera. Un día, mientras hablábamos, le dijo a la mujer: 'Venga, me va ensuerando'. Y le empezaron a inocular un líquido que no sé qué era, pero que siempre pedía para sentirse mejor, aunque no estaba enfermo [...]. Tras un par de averiguaciones en Estados Unidos, establecí que Leonidas aún no tenía cargos por narcotráfico, pero estaba inquieto por la mención de su nombre en los audios que grabó el FBI en la investigación contra los pilotos, incluidos dos de los Sierra Pastrana".

Para ese momento, Pérez no sabía lo que ya era un hecho para agentes del DAS y de la Policía: que el piloto Miller Sierra Pastrana estaba en medio de una visceral guerra entre poderosas estructuras armadas. Por un lado, el bando del esmeraldero Víctor Carranza Niño, y, por el otro, el de Leonidas Vargas, que ya empezaba a estar en el radar del 'Tío Sam'.

Carranza y Vargas se acusaban mutuamente de quererse asesinar debido a disputas por el poder militar y económico en las zonas que dominaban en Boyacá, Meta y Caquetá. Además de la cercanía con Miller, los dos archienemigos tenían en común el miedo a ser extraditados, y eso los llevó a los dos directamente al abogado Pérez.

"Conocí a Carranza en momentos en que estaba en plena guerra con Leonidas. Yo ni siquiera sabía quién era esa gente; incluso me parecían iguales: bajitos, habladores, cascarrabias, poderosos, y siempre rodeados de un séquito de guardaespaldas que los protegían y les servían como si se tratara de semidioses... Víctor me dijo que quería obtener visa a Estados Unidos para él y su familia. También quería unos chequeos médicos rutinarios para él y un allegado. Hablamos de política, del tema de los asilos y de los visados [...]. Recuerdo que me recibió en una lujosa casa ubicada al lado de una base de la Fuerza Aérea y de un hotel. Tenía seguridad excesiva: un grueso grupo de guardaespaldas enfusilados en el garaje. Yo pensé: '¿Por qué están todos juntos? Aquí los pueden matar de una vez' [...]. En la prensa se rumoraba sobre los nexos de Carranza con la mafia, pero en Colombia el hombre acababa de aparecer en la carátula de una revista como uno de los personajes más influyentes del país. Era una especie de mito. De hecho, yo accedí a ir a la cita con Carranza para conocer a ese mito".

Cuando Pérez visitó a Carranza, agentes de la DEA apostados en Bogotá ya tenían en la mira al esmeraldero. Siempre indagaron sus presuntos nexos con la mafia, y a su prontuario se le agregaba la supuesta conformación de grupos paramilitares que empezaban a ejecutar las primeras masacres campesinas y los primeros desplazamientos en el sur del país.

El poderoso esmeraldero era uno de los personajes estelares dentro de un informe secreto de la DEA (del que aún circulan un par de copias reservadas), que consigna los nombres de 147 mafiosos, paramilitares, oficiales de la Policía, políticos, cabezas de importantes gremios, multinacionales, empresarios, familias y congresistas vinculados con el narcoparamilitarismo colombiano, en calidad de cabecillas, patrocinadores o simples simpatizantes clave.

La fuente del informe es un testigo protegido del Gobierno de Estados Unidos que ubicó a Carranza en el puesto veintiocho de personajes mencionados en el informe secreto, al lado de un par de, en ese entonces, delfines presidenciales colombianos.

El documento señala: "El informante dijo que Víctor Carranza Niño es un lavador de dinero que usa sus minas de esmeraldas para el blanqueo de plata para sus asociados, que están involucrados en el tráfico de drogas [...]. Víctor Carranza financia las Autodefensas Unidas de Colombia (AUC) y un grupo armado conocido como Autodefensas Campesinas de Meta y Vichada, dirigido por José Baldomero Linares, alias 'Guillermo Torres'. El informante asegura que Ángel Gaitán [un narcotraficante] es un viejo amigo de Víctor Carranza y siempre le había dicho que este grupo armado estaba controlado por Carranza. Muchos de los antiguos trabajadores de Carranza se convirtieron en comandantes, y otros, en comandantes de nivel medio de las AUC, uno de los cuales era Manuel de Jesús Pirabán, alias 'Jorge Pirata'. Dice que Carranza tiene mucho poder político y está estrechamente asociado con un expresidente y con un ministro que se sienten cómodos con la AUC". [17]

Además de ese informe, muchos andaban inquietos por los datos que alias 'el Navegante' estaba suministrando. Era obvio que había logrado infiltrar al cartel de Medellín, y, tras granjearse la confianza de sus cabecillas, entregó en bandeja la cabeza de 'el Mexicano', en Sucre; y de Leonidas Vargas, en el casino cartagenero. Algunos creían que Carranza era el siguiente; de ahí su afán de obtener una visa a Estados Unidos, e incluso un posible asilo, sobre el cual indagó con varios bufetes de abogados.

"En esa época le negaban o quitaban la visa a cualquier persona solo por un rumor. En el área de las visas no hay derecho al debido proceso, y Ernesto Samper encabezaba la lista de los personajes sancionados [...]. Yo no sabía qué hacer en ese entonces para ayudar a obtener el permiso de ingreso a Estados Unidos, pero ahora sí: se necesita conocimiento legal, pero también algo de influencia. Tienes que saber con quién hablar. A veces hay que llegar incluso a probar que la persona es decente y lograr que alguien de la DEA, el FBI, la Fiscalía, o incluso algún político, se detengan en su nombre y le pidan al consulado que revalúe la situación. No se pide que le concedan el permiso, ni se recomienda: solo se solicita que se evalúe [...]. Muy poca gente sabe que la de las visas es una de las áreas más lu-

---

17 U.S. Department of Justice, Drug Enforcement Administration (DEA). Intelligence Group Bogotá Country office Andean Field Division. File No. ZE-08-0035. Report of investigation.

crativas de los abogados americanos. El negocio de ayudar
a conseguir ese documento a gente nueva o a las personas
que lo perdieron en los noventa deja más ganancias que
el de defender a narcotraficantes. En esos años, muchos
en Colombia estaban untados de narcotráfico de manera
directa o indirecta y Estados Unidos tomó medidas drás-
ticas, y quitaban el visado incluso por simple sospecha, y
eso estigmatiza a las personas: es un problema social entre
las clases altas. Pero ahora, veinticinco años después,
quienes perdieron el documento pasaron a ser personas
de bien, y, por negocios o trivialidades, como llevar a sus
hijos a Disney, a estudiar en Harvard o vacunarse contra
el COVID, requieren el documento".

Pérez no da nombres, alegando de nuevo la confidencialidad con sus clientes, pero en la lista de personajes
colombianos a los que les ha ayudado recientemente a
obtener o a recuperar la visa estadounidense están los familiares de un par de influyentes empresarios de la Costa.

A pesar de mantener contactos con Carranza, el abogado
Pérez siguió viajando a Bogotá para visitar al archienemigo
del esmeraldero: Leonidas Vargas, su primer cliente clasificado como 'gran capo', y a otros potenciales prohijados.

"A principios de 1994, tuve una reunión oficial y autorizada con agentes del FBI para evaluar un caso. La cita
era en un hotel, y Colombia estaba en plena campaña a

la presidencia. Los agentes estaban inquietos porque el enlace no había cumplido con la hora pactada. Pero este llegó disculpándose y diciendo que su tardanza se debió a que había tenido que ir a entregar una gruesa suma de dinero en efectivo a la campaña de Ernesto Samper Pizano, quien dijo luego que esos aportes entraron a sus espaldas. En ese momento ni el FBI ni yo nos detuvimos a preguntarle detalles, pero a los pocos meses nos dimos cuenta de la dimensión de ese dato. Era evidente de dónde venía ese dinero y para qué".[18]

En medio de esos viajes, el abogado Pérez empezó a hablar con funcionarios de alto nivel para saber si Leonidas Vargas ya estaba judicializado, y así intentar negociar con Estados Unidos antes de que lo pidieran en extradición. Mientras ejecutaba esas averiguaciones, propias de su oficio, se presentó una abogada como asesora legal del capo Leonidas Vargas: Cruz Helena Aguilar.

"Siempre estuvo presente en las reuniones posteriores que sostuve con Leonidas. Era una persona interesante, inteligente, apasionada por el derecho, y luego se supo públicamente que asesoró a Diego Fernando Murillo Bejarano, alias 'Don Berna'. A Leonidas lo estimaba, pero a 'Don Berna' le profesaba lealtad. Cruz Helena, una excelente

---

18 El 12 de junio de 1996, la plenaria de la Cámara de Representantes decidió precluir (archivar) el proceso que se le seguía a Ernesto Samper por el ingreso de dineros del narcotráfico a su campaña presidencial. A favor de esa decisión hubo 111 votos, frente a 43 en contra.

abogada, no trabajaba por beneficios, sino por su grado de responsabilidad profesional. Yo no sabía la importancia que tenía y tampoco me habló nunca de que había sido una destacada funcionaria de la Fiscalía General de Colombia".

La abogada Cruz Helena Aguilar fue, en los años noventa, una de las más respetadas y avezadas fiscales antimafia que terminó sumergiéndose en el mundo de la mafia debido a su labor investigativa, pero también debido a su hermano menor, Carlos Mario Aguilar, escolta del Cuerpo Técnico de Investigación de la Fiscalía (CTI).

Mientras ella se ocupaba de tomar las declaraciones de los sicarios de Pablo Escobar, su hermano fue asignado a labores de seguimiento de la familia del capo, en la época en la que el cartel de Medellín explotaba aviones en pleno vuelo, importaba mercenarios para entrenar a asesinos y volaba en pedazos edificios oficiales, como el del DAS (en 1989), para hacerle el quite a la extradición.

No es claro en qué momento, pero Carlos Mario Aguilar terminó adoptando el alias de 'Rogelio' y se convirtió en jefe de la tenebrosa Oficina de Envigado, el aparato criminal al servicio del narcotráfico. En ese momento, muy pocos sabían quién era realmente y cómo había migrado de la Fiscalía al hampa.

El 6 de julio de 2008, la Unidad Investigativa de *El Tiempo* reveló que 'Rogelio' se había entregado a la DEA tras una reunión en Argentina con un par de agentes federales, bajo el auspicio de otro mafioso colombiano. Los datos del sometimiento le fueron entregados a una reportera por un poderoso senador conservador durante un breve y accidentado desayuno en el Hotel Inter de Medellín, en el que estuvo presente un procurador regional. El congresista soltó el dato mientras pedía, sin suerte, que su nombre dejara de salir en informes periodísticos ligados a organizaciones criminales. Pero siguió apareciendo y ahora cumple su segunda condena.

En cuanto a 'Rogelio', siete años después de su entrega en Argentina, recuperó su libertad y ahora vive libre, en Boca Ratón (Florida), tras obtener una visa especial similar a la del asilo por colaboración eficaz con la justicia.

Mientras todo eso ocurría, su hermana Cruz Helena ganaba importancia y respeto en el mundo del litigio no solo en Colombia, sino en Estados Unidos. Participó, en calidad de abogada, en la entrega y negociación con la justicia de ese país de narcotraficantes de varios quilates, entre ellos 'Don Berna', uno de los delincuentes más peligrosos que ha tenido el país; Gustavo Tapia, alias 'Techo', familiar y amigo de políticos paisas; y Maximiliano Bonilla, alias 'Valenciano', cabecilla de la 'Oficina de Envigado'.

Su influencia y alcance legal también quedaron demostrados cuando apareció en una cumbre que autoridades documentaron ampliamente y que buscaba la paz entre dos facciones.

En un memorando que aún existe, la Policía Nacional de Colombia estableció que la reunión se registró el 17 de noviembre de 1998 en una finca cerca de Arboletes (Antioquia), zona bajo el control del jefe paramilitar Carlos Castaño. El propósito de la cumbre era firmar la paz entre Vargas y su archienemigo Víctor Carranza.

Asistieron al menos cincuenta personas, algunos mediadores de buena fe, abogados, testigos, esmeralderos y escoltas que buscaban ponerle fin a una escalada de ataques.

En el lugar, se lee en informes de la época, se encontraban José Benito Rodríguez, sobrino de 'el Mexicano', y la exmujer del desaparecido narcotraficante Jairo Correa Alzate. En ese momento, la dama ya era la compañera de otro capo: Ángel Gaitán, quien iba en representación de Carranza. El mismo informe señala que la abogada Cruz Helena Aguilar iba como vocera de Leonidas Vargas, junto con el hijo del capo, José Luis Vargas.

"Los representados por Ángel se comprometen a contraordenar los impedimentos que terceras personas ajenas a este acuerdo tenían para pagar las supuestas deudas a don Leonidas; don Leonidas no podrá ejercer mecanismos de fuerza y mucho menos violencia para que estos terceros le paguen lo que le adeudan. Estas son relaciones estrictamente comerciales que deberán resolver deudores y acreedores entre ellos. Recíprocamente se acordó cesar de inmediato las hostilidades. Todas las familias, allegados, amigos y empleados podrán movilizarse libremente con la seguridad de que las partes les garantizan su integridad física. No habrá ningún tipo de amenazas a partir del acuerdo. 'Don Adolfo' y 'Álex' asumen la garantía del cumplimiento de lo acordado por parte de don Leonidas y representan la veeduría en el cumplimiento de lo prometido por él mismo y serán quienes aclaren cualquier actitud dudosa por parte de este señor. De otro lado, don Pablo Elías Delgadillo y Ángel Gaitán hacen lo propio en representación de la contraparte de don Leonidas [...]. Hacen parte orgánica del acuerdo entre las partes, del lado de Ángel: Ángel, don Pablo Elías, hijo de don V., don Horacio, don Darío, Clodomiro Agámez, Palomo, don Javier, primo de don Pablo Elías, los Marroquín, alias 28, los Felicianos, el Loco V., Gilberto Rincón, Rodrigo Vargas, Claudia. Del lado de don Leonidas: José Luis Vargas, doctora Cruz Helena. Este acuerdo se produce bajo las orientaciones de 'Don Adolfo' y 'Álex'. El presente acuerdo rige a partir de su firma a las 13 horas del día 17 de noviembre de 1998".[19]

Aunque en el documento se cuidaron de que no apareciera el nombre de Víctor Carranza, los contactos del esmeraldero con las AUC quedaron documentados por el Departamento de Justicia de Estados Unidos a través de testimonios, incluido el del líder paramilitar Salvatore Mancuso.

Incluso, antes de ser extraditado, Mancuso, cliente del abogado Pérez, declaró en Colombia que Carranza participó en las reuniones previas a la avanzada militar de las Autodefensas a los Llanos, que incluyó masacres como la de Mapiripán (julio de 1997) y Caño Jabón (4 de mayo

---

19 "Acuerdo definitivo de paz entre don Leonidas Vargas y Ángel Gaitán en representación de otros". Arboletes (Antioquia). 17 de noviembre de 1998, publicado por la revista *Semana*.

de 1998), que dejaron más de cincuenta muertos. También dijo que, aunque Carranza se reunió varias veces con Carlos Castaño, siempre les advertía que los contactos con él eran a través de sus representantes: Humberto Castro, Juan de Jesús Pimiento, alias 'Juancho Diablo', y Pablo Elías Delgadillo, alias 'Ulises Mendoza'.[20]

El pacto de paz entre Vargas y Carranza duró muy poco. Para esa época, Leonidas Vargas tan solo había descontado dos de los diecinueve años de cárcel a los que había sido condenado, y buscaba afanosamente una salida para que no lo mataran en prisión con alguna fritura envenenada o de un disparo. Incluso, se le acusó de hacer parte de un frustrado plan de fuga con sus compañeros de celda, que resultaron ser varios de los principales asesinos del cartel de Medellín: Gustavo Adolfo Mesa Meneses, 'el Zarco'; Carlos Mario Alzate Urquijo, 'Arete', y Luis Carlos Aguilar Gallego, 'el Mugre'.

Mientras el abogado Pérez adelantaba las averiguaciones con el FBI sobre una posible extradición de Vargas, el capo logró que las puertas de la cárcel se le abrieran el 27 de octubre de 2001.

Tras una polémica orden de la Fiscalía, y con tan solo siete años de prisión cumplidos, le fue otorgada la libertad condicional luego de que se le anulara un proceso por secuestro y se le aplicaran los beneficios de la Ley 599 de 2000, que reformó el Código Penal.

---

20 Salvatore Mancuso Gómez, declaración ante la Fiscalía de Justicia y Paz, 5 de diciembre de 2011.

Algunos dijeron que también ayudó a su salida de la cárcel un certificado médico que daba fe de que el capo padecía una neumonía crónica severa, y a eso se sumó la rebaja que obtuvo haciendo botas con sus iniciales, como las que le obsequió al abogado Pérez en su primera visita. Agentes de la DEA sospechaban que en el caso hubo plata de por medio, y esa versión tomó fuerza luego de que Leonidas Vargas empezó a incumplir sus compromisos con la justicia colombiana, se esfumó y se convirtió en fugitivo.

Con una diferencia de dos meses, el 27 de diciembre de 2001, su archienemigo Víctor Carranza también salió de la cárcel, a donde había ido a parar sindicado de ser el autor intelectual de una masacre de medio centenar de campesinos en Miraflores (Boyacá), en octubre de 1997. A pesar de la evidencia que lo vinculaba a ese caso, así como a estructuras paramilitares y a decenas de asesinatos, Carranza terminó sus días en libertad y sin ninguna condena en su contra. Murió de un agresivo cáncer de próstata, el 4 de abril de 2013, a los 77 años.

"Con Leonidas, como sucede con muchos clientes, seguimos en contacto después de su salida de la cárcel. En una ocasión, a mediados de 2009, me dijo que viajara a Bogotá para que habláramos de su situación. Dos hombres armados me estaban esperando. Me dieron varias vueltas por Bogotá y luego entramos a una lujosa suite de un hotel. De pronto, sonó el teléfono y era Leonidas. Quedé desconcertado y pensé: '¿Me hizo viajar a Colombia para que le contestara una *llamada?'. Primero me dijo que nos reuniéramos en Brasil; días después, me llamó y manifestó que el punto de encuentro iba a ser España. Cruz Helena también me llamó a decirme que fuera a visitar a Leonidas. Era diciembre y una corazonada me dijo que aplazara el viaje: antes de que yo fuera, Leonidas fue asesinado por sicarios en un hospital de Madrid".*

Pérez y la justicia española desconocían que el hábil excarnicero había comprado dos identidades falsas —José Antonio Cortés Vaquero y José Antonio Ortiz Mora— para moverse por Europa con tranquilidad. Llegó a España bajo la identidad de José Ortiz, un supuesto empresario venezolano que iba rumbo al Mundial de Fútbol de Alemania (2006) y que buscaba ayuda médica para una afección pulmonar.

La coartada se le cayó por cuenta de los seguimientos de la Interpol y fue capturado a finales de 2008 en un lujoso hotel madrileño. Al parecer, el suero que se inoculaba todos los días no le sirvió, y después de que se lo llevaron a las cárceles de Alcalá de Henares-Meco y Navalcarnero, por portar un documento falso, cayó en cama por una fuerte afección cardiorrespiratoria.

Su salud se agravó, y también su situación jurídica, luego de que se descubrió que un cargamento de 500 kilos de cocaína incautado en el puerto de Valencia, dentro de un contenedor repleto de piñas colombianas, era suyo. Con esa noticia y con los pulmones casi colapsados, el excarnicero empezó a decaer. Su situación era tan crítica que su abogado en Europa, Emilio Eiranova, logró que le dieran libertad condicional para que pudiera asistir al Hospital

12 de Octubre —en la avenida Córdoba—, a terapias y a recargar su bala, esta vez de oxígeno, que arrastraba por la helada Madrid de la época, acompañado de una de sus hijas.

El invierno de ese año logró lo que no habían podido ni las autoridades ni Víctor Carranza: acorralar al cliente de Pérez y llevarlo hasta la habitación 543 del hospital, en plenas fiestas de Navidad. Su epicrisis dice que ingresó el 23 de diciembre con deficiencia cardiorrespiratoria y salió el 11 de enero de 2009 con dos tiros en la arteria carótida interna, otro más en la mandíbula (que le llegó hasta el cerebro) y un cuarto proyectil, que se alojó en la base del corazón. En la mafia dicen que la causa de su muerte tuvo dos orígenes: su guerra con Víctor Carranza y el hecho de que estaba buscando acercamientos con la justicia de Estados Unidos.

Un sicario se abrió paso hasta la habitación 543 y, tras identificar al capo, le descargó un proveedor de pistola 9 mm. Los médicos no pudieron hacer nada y a los dos días le entregaron el cadáver a la hija de Leonidas Vargas, quien llegó al anfiteatro en un lujoso Mercedes, acompañada de dos amigas.

"Así mataron a mi primer gran cliente [...]. Después de ese episodio Cruz Helena se distanció. Es un enigma para mí saber qué fue lo que pasó. Luego supe que siguió trabajando con otros abogados americanos de renombre y prestigio; y es público que participó en la entrega de 'Don Berna', de su hermano 'Rogelio', de alias 'Valenciano', de muchos".

Después, Pérez se enteró de que Miller Sierra Pastrana, el avezado piloto, también había muerto.

"Veinte años después de haber apoderado a los Sierra Pastrana, uno de ellos volvió a aparecer, pero esta vez fue para que ayudara a un joven allegado. En los audios de una operación antinarcóticos se escuchaba la voz de un hombre con acento colombiano, y los agentes federales aseguraron que se trataba del hijo de alguien muy cercano a Miller, un muchacho de diecinueve años que no tenía nada que ver en el asunto. La voz que se oía en las cintas no era la suya, así que pedí que se hiciera un dictamen de voces, e incluso llevé hasta la sede de la Embajada de Estados Unidos en Bogotá al sujeto que hablaba en los audios. Pero aun así lo querían condenar. Para Estados Unidos es muy difícil admitir que cometieron un error en un caso de extradición. Es una cuestión de prestigio y credibilidad. En ese caso pude probar que no está bien hacer pagar a justos por pecadores y pude conseguir su libertad. Ahora ese niño tiene veintisiete años y se graduó de la universidad como ingeniero. Fue acusado por la fama de unos parientes, siendo completamente inocente. Esa idea de que la Sexta Enmienda les da el derecho a los acusados para obtener justicia es un verdadero mito. Cuando reclamas ese derecho, en muchas cortes federales te castigan y seguramente tendrás la máxima sentencia. Mira las estadísticas. El Gobierno de Estados Unidos gana cerca del 95 % de los casos y nunca admite que se equivocó. Por eso mis tarifas son más altas cuando defiendo a inocentes, porque tengo que exigirme y comprometerme más para demostrar que no son responsables: entre más inocentes son, más responsabilidad para el abogado. Mientras que cuando defiendes a un culpable, partes de la base de que le cabe alguna responsabilidad".

LA PLACA
DE LA
DEA

"**M**e gusta vestir muy bien. Los trajes, los carros y los relojes hacen parte de la imagen de poder que proyecto. Manejo un Mercedes deportivo rojo y un Porsche negro. Pero mi preferido es un Mercedes 500 del año 1984, porque fue mi primer carro. También tengo una avioneta Cessna 340, que negocié en el 2000 con el padre de uno de mis clientes. Estuvo registrada en Venezuela y me dijeron que Hugo Chávez la usó un tiempo cuando aspiraba a la presidencia, en 1998. Suelo pilotearla yo mismo en trayectos cortos, pero prefiero viajar en líneas comerciales cuando me muevo a otros estados o países. La mayor parte de mis días los paso montado en un avión rumbo a Nueva York, Washington, Carolina del Norte, Texas, Colombia, Puerto Rico, México, Venezuela, Dubái... y a veces cuando despierto tengo que hacer memoria para saber dónde estoy [...]. Aunque el Mercedes 500 es un clásico, original, una vez fui a visitar a uno de mis clientes en ese auto y me preguntó: '¿Doctor, todo está bien?'. Ahí comprendí que ellos miden en la apariencia del abogado, parte del poder que tiene para ayudarles con su caso [...]. Por eso me mantengo en forma:

corro cuatro millas al día y voy al gimnasio si estoy de viaje
[...]. También colecciono relojes, la mayoría de los cuales
han sido regalos de clientes agradecidos. Este que tengo
puesto es un Hublot deportivo que le gusta mucho a mi hijo.
Lo recuperé hace poco porque se lo había dado a uno de
mis clientes. En 2012, él era el tercer hombre más buscado
de Colombia y ese año fue capturado en Venezuela, por
donde sacaba la droga. Fui a visitarlo varias veces a prisión
y en una ocasión me regaló un Rolex de oro que tenía. Yo
no podía salir de la cárcel con dos relojes y le entregué el
mío. Años después me lo topé, ya en libertad, y estaba en
muy mala situación. Le dije que averiguara cuánto costaba
el Hublot en vitrina, le di el dinero correspondiente y él me
devolvió mi reloj".

Entre los clientes de Pérez no solo hay narcoparamilitares. También figuran eslabones de otras mafias, como Juan Carlos Peña Silva, alias 'el Yerno', ligado a la narcoguerrilla colombiana. Con apenas veintiséis años ya tenía en su contra una circular roja de la Interpol, en calidad de líder de la estructura mafiosa de Víctor Ramón Serrano Navarro, alias 'Megateo', uno de los más grandes narcotraficantes en las filas del EPL.

Era tal la importancia de alias 'el Yerno' que cuando fue capturado, el 22 de noviembre de 2012, en Isla Margarita, el propio presidente de Colombia, Juan Manuel Santos, le agradeció a Venezuela el operativo y aseguró que el detenido era uno de los principales responsables de los envíos de droga y armas por el Caribe y, además, del asesinato de policías.

En la mafia nadie podía creer que hubiera caído vacacionando en la paradisiaca isla, vigilada por el régimen venezolano. En Colombia, a Peña Silva siempre lo protegían varios anillos de seguridad conformados por guerrilleros con fusiles, pero ese fin de semana decidió irse solo a su lujoso apartamento en Isla Margarita con su novia, una linda caleña, y un Rolex de oro en la muñeca derecha.

Cuando se disponía a salir a la playa, en bermudas y zapatillas, fue sorprendido por la Guardia Nacional Bolivariana, que lo exhibió en varios noticieros, esposado y con un chaleco antibalas, a manera de trofeo. Tras ser deportado a Colombia, el capo permaneció ocho meses preso en la helada cárcel de máxima seguridad de Cómbita, en el departamento de Boyacá, una de las antesalas de las extradiciones. Y hasta allá llegó el abogado Joaquín Pérez.

A pesar de las estrategias y los recursos judiciales que su defensa en Colombia interpuso para evitar que fuera enviado a Estados Unidos en el avión de los miércoles de la DEA, la evidencia en su contra era demoledora.

La embajada de ese país formalizó, en junio de 2013, la solicitud verbal para llevarse a Peña Silva, a quien la Corte del Distrito Sur de Florida requería por lavado de activos y narcotráfico. Y aunque la defensa del mafioso alegó falta de pruebas, el abogado Pérez ya tenía el terreno preparado para empezar a defender a alias 'el Yerno' en Estados Unidos y conseguirle una pena benévola.

"En esa época,' 'Megateo', el patrón del señor Peña Silva, era el enemigo público número 1 en Colombia, y su esposa

también me buscó para que la representara. Yo no les pregunto a mis clientes quién los refiere y ella no fue la excepción. Se presentó como Yanith del Socorro Sepúlveda Quintero, alias 'la Patrona' o 'Ludi'. Era un caso muy dramático y fue humanamente muy complejo. Recuerdo que aparecieron en la prensa varias interceptaciones en las que ella se escuchaba hablando de cerdos, envíos y otras cosas. Eso fue lo que terminó involucrándola en temas de lavado de dinero de la organización de su esposo. Sin embargo, logré que pasara tan solo tres años en la cárcel. Ese fue otro buen caso. Ella no tuvo que entregar datos sobre su esposo. Demostré que, si bien era la pareja oficial del narco, el hombre tenía siete concubinas cuando vivía con ella. Yanith era la mensajera y el enlace del guerrillero para algunos negocios, pero ni siquiera pudo disfrutar de su fortuna. La tenía viviendo en una humilde casucha de madera, en la vereda La Vega de San Antonio, en Norte de Santander, sin ningún tipo de lujos, y así lo demostré ante los tribunales".

El 15 de octubre de 2014, dos años después de la captura de la esposa de 'Megateo', el abogado Pérez logró convencer al juez Donald Graham, de Miami, de que alias 'la Patrona' era otra víctima del narcoguerrillero.

Le anexó al expediente varias fotos del rancho donde vivía la mujer y terminó relegando a un segundo plano decenas de grabaciones en las que se escucha a Yanith Sepúlveda hablar con Luis Fernando Rueda, alias 'el Piojo', sobre la compra de camiones para el transporte de cocaína que iba para Dominica, República Dominicana y Estados Unidos.

En los audios, según el agente especial de la DEA Kevin M. Hannon, también se escuchaba a la mujer dar instrucciones para mover plata hacia el municipio de Hacarí y hablar en código con cinco potenciales compradores de pasta de coca a los campesinos de la región. A ellos les decía que su esposo, al que se refería con el alias de 'Róbinson', ya les tenía listos los animales que estaban pidiendo.

"Después de escuchar las grabaciones pude establecer que muchas de esas alegaciones eran infundadas, el juez Graham reconoció mis argumentos y tan solo condenó a 'la Patrona' a 57 meses de prisión".

La mujer purgó su pena en una cárcel de Tallahassee (Florida) y terminó de expiarla en junio de 2019.

La oficina de Pérez, ubicada en una esquina estratégica de Coral Gables, refleja parte de la personalidad que proyecta ante su particular clientela.

En uno de sus costados tiene una reproducción a escala de su avión privado, fotos con poderosos senadores estadounidenses (demócratas como él) y una gigantesca águila de bronce que le regaló un mafioso mexicano, al que representó. Al fondo, tiene colgados varios artículos de prensa que le han dedicado medios como *The New York Magazine*, *The New Yorker*, Univisión y *The Miami Herald*. Y al lado, una escalera en forma de caracol conduce a un mezanine donde están los expedientes más recientes de clientes como Salvatore Mancuso, la esposa del guerrillero alias 'Megateo', un sobrino de 'el Mexicano', 'Jorge 40', y otros más, que no revela por estar en plena negociación. Es tan larga la lista de clientes que cada cinco años debe incinerar los expedientes más antiguos y ya cerrados. Desde que Pérez inició su carrera, durante el gobierno de Jimmy Carter (1977-1981), ya han gobernado más de ocho presidentes en Estados Unidos.

En el otro extremo de la oficina, donde el aire acondicionado siempre está a punto de hielo, tiene una biblioteca de cedro, de compartimentos iluminados. Allí permanecen varias figuras precolombinas y un par de chivas o buses típicos del Caribe colombiano que le han regalado clientes, como el exnarcotraficante Eduardo Restrepo Victoria, alias 'el Socio', en agradecimiento por su labor profesional. Este tan solo pagó una condena de cuatro años y medio en Estados Unidos, a pesar de ser un poderoso y extravagante mafioso, al servicio del cartel del Norte del Valle, cuyos orígenes se remontan a la estructura de Henry Loaiza, alias 'el Alacrán', quien aparecía como cuarto hombre en la estructura del cartel de Cali. Restrepo, ahora con 64 años, amasó una gran fortuna moviendo droga por México, para el cartel de Tijuana, y se hizo conocer por sus excentricidades, similares a las de alias 'el Mexicano'.

Andaba por el Huila, departamento del que era oriundo, con relojes Rolex de oro y botas texanas y como anfitrión de fiestas a las que llevaba mariachis, miembros de la sociedad local y oficiales de la Policía que lo protegían. Algunos de esos oficiales aún siguen activos. Pero el abogado Pérez logró que, de un solo plumazo, el fiscal del caso de Restrepo Victoria le redimiera cinco años de cárcel por colaboración y que la condena de 11 años se redujera a menos de la mitad.

"Eduardo tenía un buen abogado [dice mientras ríe]. Evidentemente la rebaja no fue gratis, pero el acuerdo es confidencial. Logré demostrar que el perfil de Eduardo fue magnificado y que, si bien era un importante comisionista, no fue un pistolero sanguinario. Su padre fue alcalde en Colombia y él tiene estudios. Volvió en julio de 2012 a su país y tuvo que pagar un par de años por otras cuentas pendientes. Pero ya está libre".

En la biblioteca de Pérez también hay esculturas que mafiosos de otros países le han enviado, fotos familiares, y en el centro cuelga una pesada placa de la DEA, empotrada en cuero negro y con una cadena plateada que pende justo detrás de la silla en la que el abogado atiende a sus clientes.

Varios exmafiosos, como el médico Carlos Ramón Zapata, siempre han dicho que Pérez trabaja desde hace años para esa agencia federal. Solo así se explican que haya salido invicto de la investigación sobre el 'cartel de los Sapos', que arregle procesos antes de pisar una corte y que maneje información privilegiada sobre operativos en curso. Además, que entre sus clientes estén los más grandes narcotraficantes y paramilitares colombianos.

Pérez se ríe cuando escucha ese tipo de afirmaciones y le atribuye su éxito y larga lista de clientes tan solo a su habilidad y conocimiento para negociar en diferentes cortes y estados, a sus tarifas accesibles, a sus contactos tras 44 años de práctica privada y a los riesgos que acepta tomar cada vez que viaja a Colombia o a otros países para representar a un narcotraficante. Además, a que no negocia su ética y a que es un absoluto adicto al trabajo.

También pesa en ese récord la implacable, pero a la vez flexible, justicia estadounidense. Esta puede condenar a un capo a cadena perpetua y 30 años más —como sucedió con Joaquín 'el Chapo' Guzmán— o, por el contrario, a cambio de un dato clave, mejorar las condiciones carcelarias de un narcotraficante, o borrarle varios años de cárcel a un informante.

La placa de la DEA en la oficina de Pérez hace parte de uno de esos últimos escenarios.

En medio de una llamada con un alguacil y con un fiscal, Pérez explica que la placa se la dieron en reconocimiento por ayudar a liberar a una informante de esa agencia que había caído presa en México, a mediados de 2011.

"La DEA, a través de la familia, me contrató para que sacara de prisión a una colombiana con ciudadanía americana. La mujer, de unos 42 años, había sido condenada a 20 años de prisión por hacer parte de una red de traficantes de metanfetaminas. Ella tenía pasaporte americano y la

DEA me envió a un familiar con el mensaje de que yo debía lograr que el Gobierno de México la regresara a Estados Unidos a pagar su pena. Ha sido uno de los éxitos más grandes que he tenido. La saqué por Texas, con autorización de la Procuraduría de México, luego la movieron a una cárcel en San Francisco y de allí quedó libre".

Y autoriza para que su asistente, Diana, baje del mezanine el *docket* (expediente) del caso, ya cerrado, donde quedaron los alegatos que él presentó para que le fuera rebajada la pena a Adriana, la informante de la DEA.

Según el expediente, desde mayo de 2008, la dama se convirtió en una fuente confidencial para la DEA. Aunque inicialmente fue reclutada por la oficina de Tampa, pronto se trasladó a Atlanta, donde estaba bajo la supervisión de un agente. Desde mayo de 2008 hasta el momento de su arresto, el 11 de septiembre de 2010, la mujer trabajó en investigaciones que permitieron a los agentes federales realizar varias detenciones. Incluso viajó a Panamá y Brasil, en compañía de dos sujetos, objetivos potenciales, para negociar drogas. Durante este período, la DEA le reconoció a la colombiana una compensación monetaria fija para sus desplazamientos y le siguió encomendando misiones.

El 11 de septiembre de 2010 a las 6:30 de la mañana, salió de Puebla (México) rumbo a Estados Unidos con otra misión encubierta. Los agentes que coordinaban el operativo la estaban esperando al otro lado de la frontera y se comunicaban con ella telefónicamente. Mientras conducía por la carretera nacional 57, detectives vestidos de civil le pidieron que bajara del vehículo y le notificaron que sabían que estaba transportando droga. Fue arrestada y llevada a una estación de policía, donde le quitaron los guardabarros a su Chevrolet Impala, gris, con placas de Georgia, y encontraron seis kilos de una droga sintética conocida como cristal N-1.

Cuando la mujer dijo que colaboraba con la DEA, los policías mexicanos llamaron a los agentes que la contactaban para asignarle misiones, pero estos negaron conocerla porque no le habían pedido autorización al Gobierno de ese país para ejecutar la operación encubierta. A las graves implicaciones que tenía operar en un tercer país sin permiso se unió el hecho de que hacía poco se había desatado una controversia similar cuando miembros de otra agencia habían permitido la entrada ilegal de un cargamento de armas sin consentimiento del Gobierno mexicano.

Su arresto ocupó la primera plana de varios periódicos mexicanos, lo que complicó aún más la misión de Pérez de sacarla de la prisión en la que la confinaron —una de las peores de México— y luego del país. Mientras estuvo detenida, la colombiana fue sometida incluso a tratamientos psiquiátricos.

Pérez logró primero que la enviaran a Texas y que de allí fuera transferida a una prisión en San Francisco (California), donde apeló la sentencia a veinte años que le habían impuesto, argumentando que su captura en Puebla —donde operan cinco carteles de la droga— fue el resultado de su asociación con la DEA, como informante confidencial. Además, dijo que su clienta no tenía la intención de cometer un delito cuando viajaba a México: "Parece que ella se convirtió en víctima de las circunstancias y en un participante involuntario en la comisión del delito. Es muy poco probable que este acusado participe en futuras actividades delictivas. No hay evidencia de que ella se ganara la vida a través del delito. Todos los factores relevantes apuntan a una persona capaz de ganarse la vida a través del trabajo duro. Esta acusación, por lo tanto, no debe limitarse a incapacitarla. Sus hijos y su familia se beneficiarán muchísimo si se les permite regresar a ellos", le dijo Pérez al gran jurado y se ganó la placa de la DEA.

El juez federal Federico Moreno, de origen venezolano y conocido por su ecuanimidad, estuvo a cargo del caso. Pero no pudo hacer mucho por la colombiana pues, sin la recomendación expresa del Gobierno, era imposible sentenciarla por debajo de los diez años obligatorios, impuestos por la ley.

Adriana fue confinada en una cárcel federal, de donde luego fue sacada discretamente y reubicada. Al parecer, la colombiana tiene ahora un negocio de estética por internet que controla desde Medellín. Y, como ella, hay varios colombianos que sirven de informantes a agencias federales, a cambio de que les perdonen su pasado. Por eso, nunca han sido condenados.

Pérez también ha protagonizado episodios tensos con la DEA, que terminan por despejar las dudas de los que creen que él es uno de sus agentes.

Uno de ellos se registró hacia 2011, cuando un comerciante colombiano lo contactó y contrató para que le ayudara a reclamar una recompensa de 5 millones de dólares por haber contribuido a aniquilar a uno de los enemigos más grandes de Colombia, cabecilla de la guerrilla de las Farc: Víctor Julio Suárez Rojas, alias Jorge Briceño Suárez o 'Mono Jojoy'.

"Mi cliente les entregó el sitio exacto en el que se ocultaba alias el 'Mono Jojoy'. Era uno de los líderes de las Farc más importantes y autoritarios que quedaban vivos, después de la muerte de 'Raúl Reyes', y mi cliente facilitó todo para que autoridades de Colombia y de Estados Unidos le pusieran un localizador en una de sus botas. Recuerdo que el líder de las Farc sufría de diabetes y debía tomar una droga y usar un calzado especial. Allí se instaló el aparato para saber dónde quedaba su campamento y bombardearlo. Para conseguir el instrumento que le implantaron en el calzado había que pedir autorización del Departamento de Inteligencia de Estados Unidos y por eso la demora. Hay cierta tecnología que el Gobierno no comparte con civiles y este era el caso. La misión fue un éxito: el bombardeo fue tan intenso que inicialmente no encontraron el cuerpo, pero el aparato seguía emitiendo señales y eso permitió ubicarlo bajo todos los escombros. Acá tengo copia de los documentos que envié y trámites que hice para que le dieran el dinero de la recompensa a mi cliente. Dijeron que su compromiso era pagar hasta 5 millones de dólares, pero que ellos determinaban el valor a entregar y solo le dieron 120.000 dólares. Fue algo

injusto. En cambio, la Policía en Colombia sí le pagó una recompensa. Por razones obvias entenderás que no voy a revelar la identidad de mi cliente".

El hombre al que Pérez se refiere les vendía elementos de aseo, medicinas, alimentos y hasta ropa interior a los integrantes del bloque Oriental, uno de los más sanguinarios frentes de las Farc, al mando de 'Jojoy', un guerrillero violento que ajustaba 57 años y sesenta órdenes de captura por todo tipo de crímenes.

En uno de sus desplazamientos a Bogotá para conseguir provisiones, el comerciante fue abordado por dos oficiales de inteligencia de la Policía que le ofrecieron una recompensa de 5.000 millones de pesos si entregaba datos sobre su actividad como proveedor de esa guerrilla, asentada muy cerca de Uribe, un pueblo ubicado en el departamento del Meta. Allí se escondía 'Jojoy', el guerrillero que por años asesinó a miembros de la fuerza pública y a otros los mantuvo encadenados del cuello y esclavizados, pudriéndose en jaulas incrustadas en la selva húmeda del sur de Colombia.

Sin falta, el comerciante les informaba a los oficiales sobre sus contactos con las Farc y los elementos que le pedían: por lo general, algunos medicamentos para la diabetes y otros para el control de la tensión arterial. Los oficiales de inteligencia sabían que la medicación estaba destinada a aliviar los problemas de salud de 'Jojoy', que se escondía en alojamientos de cemento, con varios túneles de escape y rodeado de al menos cincuenta guerrilleros, incluida la holandesa Tanja Nijmeijer.

A mediados de 2010, Elkin y Hómer, los jefes de compras del bloque Oriental, le encomendaron al comerciante conseguir unas botas con plantillas especiales; de inmediato los oficiales de inteligencia supieron que eran para que 'Jojoy' pudiera caminar con menos dolor, debido a las laceraciones que le producía la enfermedad. Agentes de la CIA, de la DEA y de la Dijín de Colombia idearon entonces introducir un pequeño localizador, aprovechando la suela ancha de este tipo de calzado, para intentar ubicar satelitalmente el campamento del jefe guerrillero. El cliente de Pérez asegura que no conoció los detalles del operativo, pero la propia Policía le notificó que el bombardeo al campamento de 'Jojoy', la madrugada del 22 de septiembre de 2010, se había logrado gracias a un dispositivo que ellos enviaron en una de las remesas que Elkin y Hómer le habían pedido con urgencia.

"Originalmente le propusieron a mi cliente que fuera hasta el campamento de la guerrilla a implantar el aparato en algún lugar. Pero a él le dio miedo de que se iniciara el bombardeo sin que alcanzara a huir. Por eso se siguió con el plan de las botas".

Un joven piloto del llamado avión fantasma, de la Fuerza Aérea Colombiana (FAC), introdujo las coordenadas arrojadas por el diminuto chip, instalado en el tacón de la bota izquierda, y abrió fuego sobre la zona conocida como La Escalera.

Un satélite de Estados Unidos verificó que el bombardeo había dado en el blanco, y, tras fuertes enfrentamientos con los anillos de seguridad de 'Jojoy', la Policía y el Ejército lograron llegar al lugar y recuperar los cuerpos sin vida de los guerrilleros, que fueron sacados en helicópteros, envueltos en lonas café. Peritos forenses verificaron que el cadáver, que llevaba un Rolex de oro en una de sus muñecas, era el de 'Jojoy'.

También concluyeron que ninguno de los veinte cadáveres era el de Tanja, que ese día se salvó de ser aniquilada.

Meses después del operativo, bautizado Sodoma, la Dijín buscó al comerciante y le consignaron en una cuenta 4.700 millones de pesos de recompensa. Además, le notificaron que el Gobierno de Estados Unidos le desembolsaría 5 millones de dólares más, en reconocimiento por el gran golpe que había ayudado a asestarles a las Farc. El abogado Pérez tiene los nombres de los agentes de la DEA que se comprometieron a hacer el pago y las cartas que envió a la Embajada de Estados Unidos en Colombia para que este se efectuara. El 'Tío Sam' tan solo le entregó los 120.000 dólares y el resto de la plata nunca llegó.

Pérez recuerda ese episodio con algo de indignación porque leyó los informes en los que 'Jojoy' era descrito como un objetivo de alto valor para Estados Unidos y Colombia, debido a su violencia y sevicia criminal. El guerrillero ya había lanzado la amenaza de que trasladaría sus prácticas criminales de la selva a las ciudades colombianas. Por eso mismo, en su país también cayó por sorpresa que el 22 de septiembre de 2017, miembros de la ya desmovilizada guerrilla de las Farc le rindieran un homenaje al sangriento guerrillero, bajo el lema "El defensor de los humildes".

A pesar de la indignación ciudadana, todos los años varios ex-Farc repiten ese acto en memoria del bombardeado criminal.

"Después de ese episodio, mi cliente rehízo su vida y decidió olvidarse por completo de ese tema y del dinero. Al menos su identidad sigue a salvo".

El abogado también guarda en secreto la identidad de una colombiana que lo contrató para ayudarla a librarse de un proceso por narcotráfico.

"Ella era una morena realmente muy atractiva, esposa de un 'pez gordo' de la mafia colombiana, y fue condenada a varios años de cárcel cuando estaba embarazada. La persona que era responsable de esas conductas era su esposo; ella estaba dispuesta a colaborar, pero en ese caso no pude obtener ninguna reducción de sentencia. Fue doloroso porque no me permitieron demostrar que era simplemente la mujer del capo y que él la había abandonado después de caer presa. Le dieron varios años de cárcel y yo sentí que no había podido hacer mucho por ella. Lo único que logré fue que, después de que diera a luz en la cárcel, me entregaran a su bebé y cuidarlo durante algunos días con mi esposa hasta que un familiar llegó desde Colombia por él. Pero su caso dio un giro que aún me parece sorprendente. Ella ya había purgado varios años, en la cárcel más

importante de mujeres, en Danbury (Connecticut), cuando me llamaron del Departamento de Justicia. Me dijeron que necesitaban la colaboración de mi cliente. Yo les dije que cómo la buscaban después de ignorar durante año y medio lo que ella tenía que decir. Pero me dijeron que era para otra cosa. Me explicaron que un alto directivo de la cárcel, un hombre mayor y de muy alto nivel, se enamoró de mi cliente y empezó a comprarle ropa interior. Según me dijeron, en una requisa que hicieron a su celda, encontraron el semen del funcionario impregnado en la ropa interior que le había regalado y necesitaban que ella declarara la naturaleza de la relación que tenía con el hombre. Imagínate: un alto funcionario de la más importante cárcel de mujeres de Estados Unidos en esa situación. Ella finalmente aceptó y, a cambio de su testimonio, fue dejada inmediatamente en libertad. Esas son las paradojas del sistema judicial de Estados Unidos; como te puedes dar cuenta, el tema de las reducciones de sentencia y colaboración se convierte en algo artificial. Este caso explica en algo cómo funciona el sistema".

Después del incendio, en julio de 1977, ese ha sido el más grande escándalo en la cárcel de Danbury, donde han estado recluidos oscuros personajes, como el excapo colombiano Carlos Lehder. En periódicos locales quedó registrado que una de las reclusas sirvió de testigo de cargo contra el alto directivo de la prisión y obtuvo su libertad.

El edificio contiguo a la oficina de Joaquín Pérez también le pertenece. Allí hay una docena de abogados que lo apoyan en algunos casos, aunque él prefiere la 'atención personalizada' para los mafiosos. Además de asesorarlos jurídicamente, les lleva fotos de sus familias o les envía libros a las cárceles, que adquiere en un reputado local de Miami: Revistas & Periódicos. La librería, ubicada en Coral Way, es la única autorizada para ingresar sobres a las prisiones federales con revistas y libros para los convictos. Hace ya varios años que importan y distribuyen desde prensa nacional hasta libros de mafia, acción, ciencia ficción, política, entretenimiento e historia.

"La parte más difícil para los mafiosos que se someten o que son capturados es el comienzo en el SHU (Special Housing Unit), porque se quedan sin poder alguno. Allí, en una celda de dos por dos metros, no pueden siquiera abrir una puerta y están completamente aislados e incomunicados. La comida se la pasan por una rendija y tienen una hora de sol diaria. Más o menos a los 6 meses empiezan a buscar a sus familias, porque las novias que tenían los abandonan antes de cumplir los dos meses de cárcel [...]. Algunas de esas relaciones están basadas en el poder y el dinero que ostentaban y se acaban de inmediato. En cambio, las esposas de muchos de ellos los perdonan y acompañan más adelante. Después, todos me piden la Biblia como refugio espiritual, que botan cuando quedan libres. Yo soy católico, los comprendo y tengo que absorber parte del dolor de estas personas [...]. Además, también les obsequio libros. A Juan Carlos Rivera Ruiz, '06', le envié 'Maquievelo'.

A Javier Fernández Barrero, socio de 'El loco' Barrera, le gustan los de historia. Le envié la trilogía de Ken Follett sobre la Primera y la Segunda guerras mundiales. A José Feliciano 'Chano' Góngora Solís, el más grande traficante de Tumaco, le encanta el sudoku. Obviamente, esto es un obsequio de la defensa" [dijo Pérez mientras conversaba con los encargados de la librería, que en ese momento (2018) estaban forrando en un sobre blanco un paquete de libros para uno de los presos].

Algunos solicitan las revistas colombianas que traen desnudos. Pero en las cárceles son muy estrictos y es necesario tomar un marcador y pintarles brasieres y bikinis a las modelos para que dejen ingresar las revistas. Varios de ellos, cuando recuperan la libertad van hasta la librería a dar las gracias por los envíos de libros.

De nuevo, argumentando el secreto profesional, Pérez no se refiere a casos abiertos, y el de 'Chano' es uno de ellos.

El experto en sudoku llegó a manejar el 80 % de la droga que sale por el Pacífico colombiano y era uno de los grandes socios del sanguinario Clan del Golfo y del cartel de Sinaloa. 'Chano' buscó a Pérez en octubre de 2016, cuando la Armada y la Fiscalía de Colombia capturaron a su principal socio, Gerson Camilo Torres Ramos, con ocho toneladas de cocaína listas a ser 'disparadas' hacia Estados Unidos en lanchas rápidas y en semisumergibles. Los paquetes de cocaína tenían adheridos GPS para ser localizados por vía satelital en caso de que el cargamen-

EL ABOGADO DE LA MAFIA

to tuviera que ser abandonado por la presencia de las autoridades costeras.

Según registros oficiales, durante casi tres meses, Pérez negoció la entrega de 'Chano' con agentes de la DEA en Bogotá y la concretó el 16 de diciembre de 2016. Pero, antes de someterse, 'Chano' dejó al frente de la organización a su cuñado, Diego Fernando Pizarro Portilla, conocido como 'el Alcalde' porque aspiró a este cargo de elección popular en Tumaco (Nariño) durante las elecciones del 2015, por el partido Centro Democrático. En ese entonces, alardeaba con una foto en la que había logrado posar al lado del expresidente Álvaro Uribe.

En febrero de 2020, el presidente Iván Duque firmó la extradición de Diego Fernando Pizarro Portilla, requerido por la Corte del Distrito Este de Texas por el delito de narcotráfico.[21]

Y en el Bureau de Prisiones de Estados Unidos se señala que 'Chano', de 37 años, deberá permanecer en prisión hasta el 23 de julio de 2035. Sin embargo, podría reducir su condena con una efectiva colaboración.

A Javier Fernández Barrero, el socio de 'El loco' Barrera, ahora aficionado a los libros de historia que el abogado Pérez le envía, le fue mucho mejor que a 'Chano'. También arregló su situación por la vía de la aceptación de cargos. En un rápido arreglo, que se selló ante el juez Jonathan Goodman, el 22 de febrero de 2012, quedó

---

21 Resolución ejecutiva 017 de 2020, "por la cual se decide sobre una solicitud de extradición".

82

establecido que pagará solo once años y que regresaría a Colombia el 1.° de abril de 2023.

Sin embargo, el abogado Pérez logró que le dieran una nueva rebaja, en 2019, y con esa colaboración, se le abrieron automáticamente las puertas de la cárcel en la que se encontraba. Así funciona la justicia de Estados Unidos.

Al lado de la librería hay un restaurante japonés que Pérez visita con alguna frecuencia para comer *sushi*, algo de ensalada y beber su Coca-Cola dietética con mucho hielo. Allá se cita con diversos empresarios que lo mantienen al tanto de procesos y negocios, especialmente que involucran a colombianos.

Pérez también suele *lonchear* en El Novillo, uno de los diez mejores restaurantes de carnes en Miami, donde le hacen reverencia cuando entra.

El mesero, Franklin, un patólogo formado en la vieja Cortina de Hierro, le cuenta historias mientras el abogado ordena la especialidad de la comida nicaragüense: frijoles negros, carne jugosa y ensalada fresca. "Doctor Pérez, yo trabajaba en una clínica en Alemania en la que se iban a tratar los millonarios americanos. Allá atendimos a Rock Hudson cuando se empezó a decir que tenía sida, y también a Rafael Díaz-Balart, el papá de los senadores, que padecía una leucemia", narra Franklin con mucha seguridad, mientras acomoda la vajilla y recibe una buena propina.

Y en una especie de ritual, casi todas las tardes, después de almuerzo y antes de entrar a su despacho, Pérez ingresa al edificio contiguo a su oficina.

"Acá, en este lugar, inicié mi práctica privada del derecho, bajo las órdenes de Adolfo Águila Rojas. Mi oficina era la más pequeña, y cuando me empezó a ir bien, le compré todo el edificio. En la sala de juntas está el cuadro de Águila en gratitud, claro, y para que no se me olvide cómo comencé. Nunca hay que perderlo de vista. Desde entonces no he parado, y a pesar de que ya tengo 70 años, sigo viajando y visitando cortes y clientes por el mundo. [...]. Cuando empecé, en Rhode Island, ayudaba a gente de bajos recursos. Había mucho colombiano y dominicano envuelto en delitos que iban desde robos hasta violencia intrafamiliar. Una prestigiosa universidad, la Howard University, me extendió un fellowship [beca] que pagaba mis gastos; me quería convertir en el campeón de los pobres. Incluso, en octubre de 1981 me dieron el premio al Hispanic Human Services [...]. Aún deben estar furiosos conmigo por haber renunciado. En el año ochenta, cuando Janet Reno me reclutó para que viniera a Miami y trabajara como fiscal, me di cuenta de que no me gustaba ese trabajo: son inflexibles y creen tener el monopolio de la verdad. Sin embargo, como resultado de esa experiencia, me fue fácil hacer la transición de fiscal a defensor en casos criminales".

"En reconocimiento por su destacada contribución a la comunidad hispana y los pobres del estado de Rhode

Island", dice la placa del premio al que Pérez se refiere, que aún está en su despacho.

Cuando Pérez pisa su oficina privada, empieza el desfile de familiares o de narcos en busca de ayuda. Recibe llamadas por cobrar de sus clientes, desde varias prisiones federales, pidiendo memoriales para atención médica, constancias de colaboración para la Corte Suprema de Justicia de Colombia o contacto con sus familias para que les envíen dinero.

De vez en cuando también lo buscan viejos capos colombianos que ya están libres y que le recuerdan sus primeros viajes al país. En uno de esos desplazamientos a Bogotá, accedió a estudiar el caso de Víctor Patiño Fómeque, uno de los jefes del cartel de Cali, conocido con el alias de 'el Químico'.

"Víctor Patiño Fómeque le pidió permiso a Carlos Castaño para negociar con la DEA antes de ser extraditado, en 2002. Contactó a los abogados Pedro Arboleda y José Orlando Espejo para que lo asesoraran, y este último me pidió que lo acompañara hasta una finca en Necoclí [Urabá Antioqueño], para hablar con Carlos Castaño del caso de Víctor, que en ese momento aún estaba preso en Colombia. Espejo y yo estábamos en Venezuela y nos trasladamos a la zona en un avión privado que había sido fletado por Víctor. Yo estoy acostumbrado a volar y cargo siempre conmigo un mapa de Colombia. Pero Espejo estaba muy nervioso. Cuando íbamos a mil pies de altura me di cuenta

de que descendíamos rápidamente y no había ninguna pista a la vista. Cuando le pregunté al piloto sobre el lugar del aterrizaje, nos dijo: '¿Sí ven ese potrero?', y señaló un lote con un declive pronunciado. El aterrizaje fue difícil y casi nos matamos".

Más allá de la anécdota del aterrizaje forzoso, el episodio dejó al descubierto que Castaño era realmente el hombre que manejaba los hilos de la mafia en Colombia; daba permisos para asesinar, perdonar vidas, negociar, y tenía un control casi completo sobre una amplia región del país.

"Los delincuentes le tenían miedo a Carlos, pero a la larga eso terminó costándole la vida".

Aunque Patiño fue capturado el 10 de abril de 2002 y posteriormente extraditado, hoy vive en otro país, con una identidad nueva y bajo vigilancia. Obtuvo la gabela judicial tras la negociación que Pérez echó a andar con el sistema de Estados Unidos y que luego retomó el también abogado cubanoamericano Humberto Domínguez.

Aunque Pérez insiste en la confidencialidad, el abogado Espejo, otro de los pasajeros de la avioneta del aterrizaje de potrero, accedió a dar detalles del caso:

"Carlos Castaño estaba en Rancho Aparte, una de sus propiedades en Necoclí. Recuerdo perfecto el aterrizaje forzoso, al lado de la montaña y del doctor Joaquín Pérez. Pensé: 'Hasta aquí llegamos'. Fue impresionante. Cuando finalmente tocamos tierra, no sé cómo hicieron, pero en menos de cinco minutos desaparecieron el avión en el que llegamos. Ahí nos recogieron y fuimos a reunirnos con Castaño. Joaquín ya era su abogado para sus negociaciones con Estados Unidos y también el de Patiño dentro del proceso de extradición que se estaba adelantando en su contra.

"Castaño fue muy gentil conmigo, me sirvió un café y me dijo que quería dar una directriz: que Patiño fuera el portavoz de la gente del norte del Valle y que buscara con Joaquín un sometimiento de todos los bandidos a Estados Unidos. Eso incluía al medio hermano de Patiño, alias 'Tocayo'; a Wílber Varela; a Juan Carlos Ramírez Abadía, 'Chupeta', y a Diego Montoya, 'Don Diego'. Dijo que me había hecho un seguimiento y que lo que quería era que Patiño llevara la oferta y dijera que como muestra de buena voluntad se iba a suspender el envío de droga a Estados Unidos y a Europa", señala el curtido abogado.

Y sigue su relato. "La idea era que Pérez adelantara un sometimiento conjunto para dejar en evidencia que las Farc eran el gran cartel de las drogas. Era una propuesta surrealista, pero cuando Castaño me pidió mi opinión la califiqué de inteligente y hábil. Dio la orden de que me llevaran al Valle para que yo le informara a Danilo González la propuesta y los reuniera a todos para que analizaran los pro y los contra. A Danilo yo lo conocí a los diecisiete años. Ambos nacimos en Buga, él ingresó a la Policía Nacional y se convirtió en oficial. Luego mutó en una especie de coordinador del cartel del Norte del

Valle; yo lo consideraba 'el Hombre de la Máscara de Hierro', el verdadero jefe", dice Espejo.[22]

Y las investigaciones confirman que después de que el Senado y la Cámara de Representantes exaltaron su tarea en el Gaula y en el Bloque de Búsqueda, que ubicó al capo Pablo Escobar, el coronel González terminó sosteniendo contactos con la mafia. De hecho, el 25 de marzo de 2004, años después de retirarse de la Policía, un sicario le descargó una pistola 9 mm mientras se encontraba en la oficina de uno de los abogados de Luis Hernando Gómez Bustamante, alias 'Rasguño', ubicada cerca del llamado sector de Los Héroes, en el norte de Bogotá.

Luego se supo que varios mafiosos pagaron para que lo eliminaran, cuando trascendió que el exoficial había viajado un par de veces a Aruba a buscar contactos con la DEA, que ya lo tenía en la mira.

Siguiendo las instrucciones de Castaño, a los pocos días se celebró una cumbre mafiosa de la que hasta ahora se tiene noticia. En ella, el abogado Espejo les expuso a los capos del Valle la posibilidad de que se sometieran conjuntamente, a cambio de algunos beneficios que el abogado Pérez se encargaría de negociar con la justicia de Estados Unidos.

"Pérez me dijo que fuera yo a la reunión. Era en una finca enorme en el norte del Valle. Recuerdo que me condujeron a una cabaña en la que estaba la flor y nata del narcotráfico. Ya había llegado Danilo, estaba 'el Mono 50', 'Tocayo', 'Varela', 'Chupeta', el abogado de 'Don

---

22 Entrevista de la autora con Orlando Espejo, 25 de mayo de 2018.

Diego', Carlos Martínez, Pedro Arboleda y un delegado de don Gilberto Rodríguez Orejuela, que en ese momento estaba preso en Colombia. La finca estaba repleta de escoltas y tenían preparado un *rodizio* para atender a todos los exponentes de las diferentes casas de la mafia. Mientras servían carne y más carne, yo les empecé a hablar. Solté mi parrafada: 'El comandante les manda decir que vamos a acabar de una vez con el narcotráfico'. Y les conté la propuesta y la orden de suspender por seis meses los envíos mientras Víctor servía de portavoz [...]. Danilo calificó de razonable la propuesta y pidió estudiarla y perfeccionarla con los abogados de cada uno de los presentes. De repente se para Varela y me dice: 'Doctor, a usted como que le cae muy bien Castaño'. Y yo simplemente le respondí que creía que él tenía la razón, que la violencia no había servido para nada y que tarde que temprano los iban a someter o a asesinar. 'Tocayo' dijo que la oferta no tenía ni pies ni cabeza y advirtió que si ellos accedían, los jóvenes capos, los que estaban subiendo, los iban a matar porque iban a creer que el grupo quería desmontar el narcotráfico y negociar porque ya estaban ricos [...]. Los únicos que estuvieron de acuerdo fueron los representantes de don Gilberto. Y Varela remató la reunión diciendo que cualquiera que pensara en sometimiento ya estaba muerto, empezando por los abogados. 'Tocayo' y 'Varela' dijeron que Castaño los quería matar a todos".[23]

---

23 *Ibidem.*

A pesar de la negativa de la gran mafia, Patiño siguió con la idea de someterse a la justicia de Estados Unidos a través del abogado Joaquín Pérez. Por eso continuó en permanente contacto con el abogado cubanoamericano y escogió a Espejo para que lo acompañara a ejecutar una parte de su estrategia desde Colombia.

Patiño confiaba en Espejo porque fue él quien le ayudó a recuperar la libertad la primera vez que fue capturado y sentenciado, dentro de un proceso que había sido relativamente sencillo. En esa ocasión, Espejo demostró que, aunque matón y sanguinario, Patiño había aprendido a leer en prisión, estaba trabajando y había hecho infinidad de cursos con los que logró redimir lo que le faltaba de la condena.

Pero con el sistema de Estados Unidos las cosas no eran tan fáciles, y a eso se sumaba el hecho de que un agente de la DEA, de apellido Kaplan, estaba obsesionado con capturar a Patiño y dispuesto a complicarle la negociación.

"Patiño tenía tres miedos —dice el abogado Espejo—: volver a ser pobre, que lo mataran en Colombia y que se lo llevaran extraditado. Por eso, me pidió que me contactara directamente con la Embajada de Estados Unidos para que arreglara su entrega. Me dijo que sabía que Hernando Gómez Bustamante, alias 'Rasguño', estaba negociando, y que incluso Varela y alias 'Tocayo' habían viajado a Miami a explorar ese mismo camino. Con su autorización verbal, yo fui a la embajada, e inicialmente los agentes de la DEA no me creyeron. Incluso, le mandaron decir a Patiño que si quería someterse por qué seguía traficando y por qué había matado a Maya Hoyos, alias 'el Calvo' [supuesto informante de la DEA], y a Juan Carlos Ortiz, alias 'Cuchilla'. Patiño negó esos crímenes, dijo que quien seguía traficando era su medio hermano 'Tocayo' y que detrás de esos crímenes estaba Varela".[24]

Según Espejo, la DEA inició una estrategia de desgaste para saber qué tan seria era la propuesta de alias 'el Químico', y esa fue la antesala a un episodio inédito en el que el gran capo del cartel de Cali terminó doblegado por agentes federales.

"De repente, un día me llamó un agente de nombre Larry y me citó a la embajada. Allí me dijo que querían hablar con Patiño el 9 de abril de 2002 y que les daba igual si asistía o no. Víctor aceptó. Inicialmente nos encontramos con los agentes cerca de la embajada, pero ellos pidieron que nos desplazáramos al Hotel Capital, ubicado unas cuadras abajo de la sede diplomática. Cuando entramos a la habitación, uno de los agentes le preguntó a Víctor si quería que yo estuviera presente y él dijo que no. Me pidió que me fuera, a pesar de que yo insistí en quedarme. Yo me bajé al *lobby* y vi que estaba lleno de agentes. Compré unas botellas de agua y subí con ese pretexto. Cuando me abrieron, uno de los agentes me sonrió y me dijo: 'Ya está'. Cuando yo iba a salir, de repente vi un despliegue de ejército gigante, y un uniformado salió de una habitación vecina y me encañonó. Yo le dije que era el abogado, que no me matara,

---

24 *Ibidem.*

y me hizo pasar a la habitación donde estaba Víctor, y vi cuando un agente de apellido Kaplan le decía: 'Tú estás detenido. Qué creías, ¿que íbamos a negociar contigo? Llevo detrás de ti más de once años. Eres un asesino'. Nunca había visto humillar así a alguien. Del pánico, Víctor se cayó al piso y gritaba: '¡Mis hijos, mis hijos!'. Se le bajó la tensión y yo ayudé a levantarlo del piso. Uno de los agentes me dijo que me cuidara, que Patiño me hacía matar. Y me dijo que pasara por la embajada, con una foto, para que me dieran una visa y me fuera protegido a Estados Unidos. Yo me negué y pedí que me encarcelaran con él. Si no era así, la mafia iba a creer que yo lo había entregado y me iban a matar. Y eso no era así [...]. A los dos nos llevaron a la Fiscalía y yo le dije a Víctor que insistiera en que quería negociar. Ahí comienzan las presiones sobre mí. Por eso me tuve que ir a España, el 25 de diciembre de 2002, en el vuelo de medianoche", recuerda Espejo.[25]

Y confiesa, aún con algo de temor, que después de la detención de Patiño, y antes de su viaje de medianoche, fue citado a una finca con toda la cúpula del Valle a rendir cuentas. Para no terminar literalmente picado y tirado al río Cauca, dijo en su defensa que la mejor prueba de que no había entregado a su cliente era que le estaban ofreciendo una visa para protegerlo y él no se iba a ir a Estados Unidos.

A pesar de la captura de 'el Químico', Pérez logró echar a andar un proceso de colaboración que luego retomó

---

25 *Ibidem.*

su colega Humberto Domínguez. Gracias a ese arreglo, Patiño vive hoy en un tercer país, con un nombre latino y sin la mitad de su familia, asesinada como retaliación por su colaboración. Ya tiene el pelo totalmente blanco; lo usa largo, con una fina barba que le cae en el pecho y que garantiza que nadie lo reconozca.

Pedro Arboleda Gómez, el tercer abogado que iba con Joaquín Pérez en la avioneta el día del aterrizaje forzoso, fue acribillado en una exclusiva librería de la ciudad de Cali. El 15 de marzo de 2004, tres sicarios le dispararon con armas cortas en siete ocasiones. El abogado, de 44 años, ya había sido advertido de que un sector de la mafia lo quería matar, y días antes, uno de sus primos también había sido acribillado. Deisy Fómeque Campo, madre de Víctor Patiño Fómeque, atribuyó el crimen del abogado al hecho de que su hijo estaba colaborando con la justicia y entregando nombres de otros mafiosos. En total, a Patiño le asesinaron 35 familiares y allegados por haber accedido a colaborar con la justicia.

LA NEGOCIACIÓN
DE
CARLOS CASTAÑO

"*La primera vez que vi a Carlos fue una noche, a mediados de 1997, en un campamento paramilitar, ubicado a tres horas en carro de Montería. Yo iba con Nicolás Bergonzoli y lo encontramos uniformado mientras sus hombres cantaban el himno de las autodefensas. Nos sentamos a hablar y lo primero que me pidió fue que le explicara cómo funcionaba el sistema electoral y el judicial en Estados Unidos. Hablamos por horas. Él les había dado permiso a Nicolás y a Julio Correa —el esposo de Natalia París— para que negociaran con la DEA y estaba fascinado con Estados Unidos: admiraba mucho el sistema americano y decía que esperaba algún día ir a estudiar y a vivir en Estados Unidos, donde habían vivido sus primeros hijos. La charla se desarrolló alrededor de una mesa rústica, en presencia de una mujer atractiva que lo acompañaba [...]. Le expliqué que tan solo en Miami hay veintiséis cuerpos de Policía, y solo atinó a decir: '¿Cómo se puede corromper a tantas agencias y gente?'. En ese momento Castaño estaba en el máximo de popularidad en su país. Acababa de conceder una entrevista televisiva en la que había aparecido como una estrella y se notaba su satisfacción. Recuerdo que esa noche nos sirvieron una gallina incomible, tiesa. Yo le dije que seguramente nos habían servido una gallina revolucionaria [...]. No me dio muchos detalles de su vida, pero me aseguró que él había sido entrenado militarmente por israelitas. De pronto, decidió acabar la charla, se levantó bruscamente, dijo 'Buenas noches' y se llevó a la mujer. Era autoritario y fue evidente que quería impresionarme. Varios de sus hombres me escoltaron de vuelta a Montería [...]. Luego hubo una segunda reunión, en la que ya me habló directamente de que estaba buscando que varios de los narcos que estaban en las autodefensas se entregaran, aunque sabía que iba a encontrar oposición en el núcleo de poder de la organización. También me habló por primera vez de la posibilidad de que él mismo arreglara sus cuentas en Estados Unidos".*

Nicolás Bergonzoli, el hombre que acompañó a Pérez al campamento paramilitar, a su primera reunión con Carlos Castaño, está en la lista de sus primeros clientes mafiosos. Por eso se limita a mencionar su nombre sin dar detalles adicionales. En archivos del FBI hay evidencia de que Bergonzoli era tan poderoso en la mafia colombiana que logró servir de intermediario para que Castaño iniciara acercamientos con la justicia de Estados Unidos.

El propio Bergonzoli se lo admitió a agentes del FBI, el 31 de agosto de 2000, en una entrevista que quedó documentada y que hoy reposa en archivos federales. Dijo que él era amigo y asociado de Carlos Castaño y que, gracias a esa relación, el agente especial de la DEA Lawrence Castillo acudió a él para solicitarle sus 'buenos oficios', para concertar una reunión con el entonces poderoso jefe de las autodefensas.

Bergonzoli accedió a dar el mensaje de la DEA; en medio de esos acercamientos llevó una carta y una copia de un correo electrónico en el que Castaño le decía al agente especial Castillo que estaba dispuesto a reunirse lo más pronto posible con esa agencia federal.

El FBI desconocía los acercamientos de la DEA con Castaño, quien en ese momento era considerado por Washington un peligroso criminal de guerra. Por eso, tras la declaración de Bergonzoli, y dentro de la investigación por el llamado 'cartel de los Sapos', se ordenó registrar las oficinas de los agentes de la DEA Lawrence Castillo y David Tinsley.

Como pasa en las películas gringas, cuando llega el FBI, las demás agencias se pliegan a sus órdenes. Por eso, ni Castillo ni Tinsley opusieron resistencia a la singular revisión. Y en el registro de sus oficinas y computadores se encontró evidencia de hasta dónde llegaron realmente las negociaciones del jefe de las llamadas Autodefensas Unidas de Colombia, Carlos Castaño Gil, quien se inició en el hampa como pistolero del cartel de Medellín.

A los 35 años cumplidos, Castaño —nacido en Gómez Plata, un pequeño municipio muy cerca de Amalfi (Antioquia)— ya tenía una colección de delitos que iban desde la ejecución de decenas de masacres campesinas hasta el desplazamiento forzado y el asesinato de familiares de jefes guerrilleros, sumados a secuestros y asesinatos selectivos.

A nombre de su lucha antisubversiva, sus hombres reclutaban menores, robaron tierras y empezaron a obtener participación en la contratación pública de los pueblos y ciudades bajo su dominio. Además, siguiendo el modelo usado en los ochenta por su instructor, el mercenario israelí Yair Klein —del que habló en su primer encuentro con el abogado Pérez—, Castaño montó campamentos de entrenamiento. Allí, los paramilitares aprendían técnicas de secuestro, toma de pueblos y manejo de armas y explosivos. La Acuarela, ubicado en Córdoba, era el más famoso.

Para extender su poder del campo militar al político, Castaño selló acuerdos con agentes del Estado y organizaciones criminales, como la Oficina de Envigado y la banda La Terraza. Estas células se encargaban de ejecutar crímenes selectivos en ciudades, incluidos secuestros y asesinatos en Bogotá, con la complicidad de miembros corruptos del Ejército y del DAS. Para el momento en el que el jefe paramilitar envió con Bergonzoli la señal de que quería negociar con la justicia de Estados Unidos, se calculaban en más de 15.000 las víctimas de los paramilitares.

Su largo prontuario, sin embargo, no impidió que los contactos con la DEA avanzaran, e incluso llegaron hasta fiscales federales de Washington. Así consta en un memorando que el FBI halló en las oficinas que le registró a la DEA en Miami.

"Se incautó un memorando fechado el 24 de enero de 2000, de David Tinsley al agente especial asistente que reemplazaba al agente Ernesto Pérez. El memorando reveló que Tinsley fue notificado el 23 de noviembre de 1999 por el agente especial del Servicio de Aduanas de Estados Unidos Ed Kacerosky que el señor Baruch Vega estaba representando a los traficantes colombianos y que él [Vega] podría obtener sentencias reducidas por una cantidad fija de dinero [...]. Durante la búsqueda se encontró en el espacio de trabajo del agente especial Castillo un disco de computadora fechado el 21 de marzo de 2000, que fue etiquetado como 'Castaño y Ramón Zapata'. El disquete mantuvo una cronología de los eventos desde el 29 de octubre de 1997 hasta el 3 de marzo de 2000, detallando las actividades del agente especial Castillo con el señor Vega, el señor Ramón Zapata, el señor Orlando Cristancho, el señor Castaño y los demás traficantes colombianos".[26]

En paralelo con la investigación del FBI, que se adelantaba bajo absoluta confidencialidad, la frecuencia de los encuentros entre Castaño y Pérez aumentó.

"Calculo que visité a Carlos unas veinte o treinta veces, a pesar de que, cuando se supo que yo lo estaba apode-

---

26 Final Report, PR-G1-00-0144, Allegation: corruption, unauthorized disclosure of information, improper financial transaction. 12 de marzo de 2002.

rando, empezaron las presiones en su contra e incluso se fraguó un plan para asesinarme. Cruz Helena Aguilar fue la primera en alertarme. Me llamó a mi teléfono en Miami y me dijo que no viajara a Colombia porque todo estaba listo para que me mataran. A las pocas horas, agentes del FBI se comunicaron conmigo y me entregaron exactamente la misma información. En ese momento corría el rumor de que Carlos había ofrecido hablar en Estados Unidos del presidente Álvaro Uribe Vélez, pero eso nunca fue cierto. Lo que realmente querían los americanos era que les entregara a Diego Montoya, alias 'Don Diego', que en ese momento era el narco más poderoso del norte del Valle. Montoya aparecía como uno de los más buscados y con él no se había logrado ningún acercamiento. A pesar de las amenazas de muerte, yo seguí visitando y asistiendo jurídicamente a Carlos. En esa época él tenía aún el poder absoluto de las Autodefensas y lo pude comprobar. En una de esas reuniones logré salvarle la vida al hijo de uno de mis clientes que era un lavador de activos que vivía en Bucaramanga. Había sido capturado, en 2002, ingresando al aeropuerto de Miami 182.000 euros. Ya en prisión, me aseguró que los paramilitares habían retenido al muchacho y que lo iban a ejecutar porque lo acusaban a él de trabajar para las Farc. Le dije a Carlos que el padre sí era un delincuente, pero que no estaba vinculado con esa guerrilla. La primera vez que le expuse el caso me explicó que las Autodefensas eran una confederación y que cada jefe tenía su núcleo de control: 'Yo trato de no meterme en las decisiones, así que no le prometo nada', me respondió. En la siguiente visita me informó cuál era el grupo que lo tenía secuestrado y *me reiteró que el padre trabajaba con las Farc. Le insistí que conocía bien al padre y que apelaba a su sentido de justicia para que salvara al hijo. Un par de días más tarde me dijo: 'Dígale a la familia que lo vamos a liberar'. Y así fue. Luego supe que en Estados Unidos también creían que el clan tenía nexos con las Farc. Finalmente, al padre lo extraditaron, logré que le dieran tan solo dieciocho meses de cárcel, volvió al país y fue asesinado por desconocidos. Por lo menos salvé al hijo, pero es posible que él nunca sepa por qué está vivo".*

Mientras se asesoraba con Pérez, Castaño empezó a venderles la idea a los líderes de las autodefensas y narcotraficantes de que aún estaban a tiempo de someterse a la justicia de Estados Unidos y de llegar a ventajosos arreglos judiciales. Decenas de versiones dadas por los propios jefes paramilitares ante la jurisdicción especial de Justicia y Paz lo confirman.

Y narran una segunda cumbre mafiosa en la cual la DEA y el FBI se habrían dado un festín de capturas.

En 2002, en El Vergel, la hacienda consentida del capo Luis Hernando Gómez Bustamante, alias 'Rasguño', de 450 hectáreas, asistieron mafiosos de varios quilates, sin que las autoridades locales vieran nada.

"Carlos me dijo que los acompañara a la reunión, para persuadir a otros capos en la iniciativa. Recuerdo que 'Rasguño' le envió un helicóptero para trasladarlo hasta Carta-

go [Valle del Cauca], *donde quedaba El Vergel y donde lo esperaban otros mafiosos para escuchar su propuesta de sometimiento. Yo no lo pude acompañar y finalmente abordó el helicóptero con Humberto Agredo, su mano derecha [...]. Agredo había vivido en Bulgaria y era muy educado. Hablaba varios idiomas y fue él quien lo ayudó a ingresar 7.500 fusiles para las Autodefensas. Guardaba muchos secretos de Carlos y de las AUC. Además, Carlos era muy volado y vehemente, mientras que Agredo era pausado, inteligente, y con acceso a las armas; eso era lo que le daba poder en la organización y por eso se había podido acercar tanto a su líder, que guardaba celosamente la verdadera identidad y rol de Agredo".*

La Policía de Colombia documentó luego que la reunión se celebró la primera semana de agosto de 2002. Ese día, a Cartago (Valle del Cauca) llegaron decenas de camionetas blindadas y guardaespaldas, custodiando a los capos más buscados de Colombia. Las autoridades del pueblo vieron pasar las caravanas, armadas hasta los dientes, y escucharon aterrizar el helicóptero en el que Castaño llegó. Pero nadie dijo nada a pesar de que El Vergel queda a menos de cinco minutos del casco urbano.

La hacienda, que aún está en pie, tiene una casona principal, con veinte habitaciones, rodeada por un lago artificial. Además de las pesebreras para los caballos de paso fino, 'Rasguño' le había montado cámaras de seguridad y un laboratorio para inseminación artificial de ganado.

La cumbre mafiosa se llevó a cabo en un amplio salón de reuniones, que tenía espacio para los guardaespaldas, las armas y un potente aire acondicionado que hacía que se respirara un ambiente más fresco, a pesar de la tensión de tener tanto asesino reunido y de los 28 grados Celsius de temperatura del exterior. Tras varias horas de discusiones, ese día se avanzó en los términos de un eventual sometimiento a la justicia de Estados Unidos, pero también se firmó la sentencia de muerte de Carlos Castaño, el anfitrión y cliente de Pérez.

Dos días antes de ser extraditado a Estados Unidos, en junio de 2007, alias 'Rasguño' les narró a reporteros de *El Tiempo* detalles de lo ocurrido en la cumbre mafiosa en su hacienda. Según dijo, ese día se la jugó a fondo, en un segundo intento por someterse a la justicia, tras una supuesta estafa de la que asegura haber sido víctima del grupo de Baruch Vega. La estrategia volvió a fallar y desató una *vendetta* en las entrañas de la mafia, en la que cayeron poderosos como Carlos Castaño y Danilo González.

"Ese día, en El Vergel, cuando intentamos hacer lo mismo [someternos] con Carlos Castaño, firmamos su propuesta unos cuarenta o sesenta [...]. Pero cuando Carlos tenía que hacer su parte con las autodefensas, nadie le firmó y todo se dañó. El único que estuvo de acuerdo fue 'Don Berna', que quería acabar con eso [narcotráfico]", recordó 'Rasguño', quien cumple una sentencia de treinta años en Estados Unidos.[27]

Luego se supo que, aunque habían estampado sus firmas, varios capos y jefes paramilitares quedaron inquietos con la propuesta de Castaño y empezaron a madurar la idea de que este iba a entregar sus cabezas como parte de la negociación individual que adelantaba a través de Joaquín Pérez.

Poco a poco, varios comandantes de las Autodefensas le quitaron el respaldo económico y luego la protección. Cuando ya eran más de diez, incluido Salvatore Mancuso, le retiraron el reconocimiento de jefe supremo de las Autodefensas y se empezó a fraguar un plan para asesinarlo.

Uno de los pocos que seguía a su lado era 'Don Berna', del que hablaba 'Rasguño'; Castaño creyó que con su apoyo era suficiente. Se trata de Diego Fernando Murillo Bejarano, uno de los más grandes criminales que ha tenido Colombia, que también usaba los alias de 'el Ñato', 'el Cojo' y 'Adolfo Paz'.

Se inició como guerrillero en las filas del EPL, y luego se convirtió en jefe de sicarios del clan de los hermanos Moncada y Galeano, los grandes amigos y socios de Pablo Escobar en el cartel de Medellín.

A pesar de su cercanía con Escobar, los patrones de 'Don Berna' terminaron acribillados y descuartizados, la primera semana de julio de 1992, en La Catedral, la

---

27 "Esta es la confesión que 'Rasguño' hará en Estados Unidos", Unidad Investigativa de *El Tiempo*, 22 de marzo de 2007.

cárcel en la que el gobierno de Gaviria confinó a Escobar por casi un año y que este llenó de lujos, armas y sicarios. Para que los restos no fueran encontrados por las autoridades, primero los quemaron en una fogata y luego los derritieron en ácido. A los pocos días, el 22 de julio de 1992, Escobar se fugó de La Catedral.

En lo que se inició como una venganza personal, 'Don Berna' reunió a varios enemigos de Escobar y conformó el grupo Perseguidos por Pablo Escobar (los Pepes). Además, selló una alianza con un puñado de miembros de la Policía de Colombia para filtrar información y coordinar operativos que cercaran al jefe del cartel de Medellín. Uno de ellos era el entonces prometedor y apuesto mayor de la Policía Danilo González.

A la cacería del capo se unió Carlos Castaño, quien se convirtió en amigo inseparable y confidente de 'Don Berna'. Incluso luego de que Escobar fue ultimado, entre los dos se repartieron el poder, los bienes y sicarios de Medellín.

'Don Berna' se quedó con varias rutas del narcotráfico, con predios de María Victoria Henao, la viuda de Escobar, y se convirtió en amo y señor del hampa en Medellín. Asumió el liderazgo de la Oficina de Envigado, el aparato criminal que Escobar fundó para reclutar sicarios y asesinar a sus enemigos.

Bajo su mando también quedó La Terraza, la tenebrosa banda criminal que puso al servicio de Castaño para ejecutar asesinatos selectivos, como el de los investigadores sociales Mario Calderón y Elsa Alvarado (1997) y el del humorista Jaime Garzón (1999).

Tras su 'matrimonio criminal' con Castaño, el narcotraficante 'Don Berna' adoptó el alias de 'Adolfo Paz' y fue nombrado 'inspector' de las Autodefensas Unidas de Colombia. Con esa designación y con un par de uniformes camuflados que mandó confeccionar, creó los bloques Nutibara y Metro para delinquir en todo el Valle de Aburrá.

Después de ser guerrillero y sicario de la mafia, el de paramilitar era su nuevo disfraz para desmovilizarse dentro del proceso de paz con el gobierno de Álvaro Uribe, que le permitió acceder a los beneficios judiciales que les otorgaron a los paramilitares.

A pesar de portar carné de desmovilizado, 'Berna' seguía controlando desde la sombra el hampa de Medellín, e incluso se empezó a hablar de pactos secretos con dirigentes locales para regular el crimen en la capital antioqueña. Ese poder criminal hizo que se acuñara el término *donbernabilidad*, luego de que el delincuente logró paralizar el 90 % del transporte en Medellín, en mayo de 2005, mientras él huía de Ralito (Córdoba), el centro de concentración de líderes paramilitares que estaban en pleno desarme.

"Cualquier día Carlos me dijo que 'Don Berna' quería conocerme y me envió a una casa en Montería que tenía en su interior un lago privado", recuerda Pérez, quien finalmente nunca lo apoderó, y solo tiene un par de anécdotas de sus encuentros.

"El señor ['Don Berna'] estaba acompañado por un escuadrón de hombres fuertemente armados, pero no uniformados como los de Carlos. Me empezó a hablar de política, de Cuba, de la izquierda. Pasó como una hora y no entrábamos en materia. Creo que me estaba estudiando, quería conocerme y tan solo tocó el tema de una posible negociación con Estados Unidos superficialmente. Me dijo que tenía amigos en la Embajada de Estados Unidos en Bogotá y me mostró una tarjeta de uno de ellos con apellido latino. Recuerdo que cuando Kenia, la esposa de Carlos, fue a aplicar para una visa a la Embajada de Estados Unidos, le dieron esa tarjeta y la de otro funcionario de la Embajada. 'Don Berna' le dijo que tuvo contactos y trabajó con ellos en la época de la persecución a Pablo Escobar, e incluso les mandó saludos".

'Don Berna', al igual que capos de la talla de Miguel Ángel y Víctor Mejía Múnera, Juan Carlos 'el Tuso' Sierra y Francisco Javier Zuluaga Lindo, alias 'Gordo Lindo', se enfundaron en uniformes de paramilitares para acceder a la llamada Ley de Justicia y Paz.

Sin importar que eran capos purasangre, esta les garantizaba condenas de apenas ocho años. Además de la atractiva oferta judicial, 'Don Berna' creía que, en caso de que lo extraditaran por sus múltiples crímenes, podría cobrarle al 'Tío Sam' la ayuda que les dio a sus hombres para cazar a Pablo Escobar, y por eso siempre cargaba en la billetera las dos tarjetas desgastadas y mohosas de los agentes de la DEA que lo contactaron en esa época.

'Berna' empezó a barajar esas dos salidas y a buscar a Pérez luego de que, en pleno proceso de paz, sus asesores le informaran que sobre él pesaba la resolución de acusación 03 Cr 1188, dictada el 6 de octubre de 2003, de la Corte del Distrito Sur de Nueva York, que lo requería por narcotraficante y lavador de dinero de la mafia. Entre otras pruebas, la DEA señaló que el otrora sicario había logrado amasar una fortuna superior a los 12 millones de dólares y que poseía cerca de un centenar de propiedades.

Pero los cálculos le fallaron: terminó extraditado, el 13 de mayo de 2008, y en un proceso exprés, fue condenado a 31 años de cárcel. La sentencia fue dictada por un juez del Distrito Sur de Manhattan, que tenía todo el prontuario de 'Don Berna' como asesino y narcotraficante.

La evidencia en su contra era tan protuberante y grave que no había pasado siquiera un mes de su aterrizaje en Estados Unidos, cuando J. García, fiscal para el Distrito Sur de Nueva York, informó que 'Don Berna' se había declarado culpable y que su país se abstenía de condenarlo a cadena perpetua por los acuerdos judiciales con Colombia, que la prohibían. Sin embargo, advirtió que sabían de sus tretas para posar de paramilitar.

"Murillo Bejarano ostenta el título de inspector general de las Autodefensas Unidas de Colombia (AUC), pero realmente era el líder *de facto* de la organización, encargado de sus actividades de narcotráfico, incluidos su transporte de cocaína y operaciones financieras. Mantuvo su poder en las AUC en parte gracias al producto de sus actividades de tráfico de drogas. La cocaína enviada a los Estados Unidos por las AUC generó millones de dólares en Nueva York y otras ciudades de Estados Unidos. Bajo la dirección de personas que trabajan para la organización de Murillo Bejarano, la droga fue puesta en bolsas o maletas e intercambiadas en lugares preestablecidos [...]. El acusado se declaró culpable de importar cientos de toneladas de cocaína y de conspirar para distribuir la droga. Este delito conlleva una sentencia mínima obligatoria de diez años en prisión y una sentencia máxima de cadena perpetua. Como parte de su solicitud de extradición, sin embargo, Estados Unidos le ha proporcionado garantías al Gobierno de Colombia de que no buscará cadena perpetua para el acusado, sino que pedirá varios años de prisión".[28]

Nunca nadie vio a 'Don Berna' tener misericordia. Pero, a manera de clemencia, el narcotraficante suplicó en un par de cartas confidenciales que se le tuviera en cuenta el tiempo que pasó en cárceles de Colombia, según él, en condiciones infrahumanas.

"Las cárceles de Itagüí y La Picota en Colombia son solitarias. En Itagüí hubo confinamiento en una celda sin ventanas, y con visitas familiares limitadas [...]. Y durante los seis meses en la prisión de Cómbita, hubo temperaturas bajo cero, camas de losas de concreto mohosas y mantas sucias. La comida era limitada, preparada en condiciones insalubres y una atmósfera generalmente violenta. No hay colchones y el agua de las duchas es helada", describió 'Don Berna'. Y su defensa agregó que

---

28 United States Attorney Southern District of New York, 22 de abril de 2009.

debido a sus condiciones médicas, también requería un tratamiento especial y continuar además con la formación académica que había iniciado en Colombia.

La Fiscalía de Estados Unidos le respondió que su formación vocacional era lo menos importante, ya que había dedicado sus considerables talentos a la organización criminal y terrorista.

En cuanto a sus condiciones carcelarias en Colombia, le aseguraron que había peores lugares en países como República Dominicana, donde tres presos compartían una celda sin luz, recibían tan solo quince minutos de sol y apenas tenían un hueco disponible para hacer necesidades fisiológicas. También le aseguraron que en las prisiones federales recibiría la atención médica que tanto reclamaba. Y aunque en Colombia nunca se revelaron pruebas de que el mafioso seguía delinquiendo desde prisión, Estados Unidos fue claro en que solamente con la extradición 'Don Berna' cesó sus actividades criminales. Además, que la condena era apenas ajustada, cuando se comparaba con la magnitud del daño que ocasionó.[29]

El 14 de junio de 2008, el narcoparamilitar fue notificado oficialmente de que permanecerá en prisión hasta el 16 de agosto de 2032, cuando cumpla 70 años. Únicamente se le concedió una rebaja por haberse declarado culpable y haber ayudado a gestionar la entrega de Carlos Mario Aguilar, alias 'Rogelio'. Por esa entrega también

---

29 United States, Court Southern District of New York, United States of America vs. Diego Fernando Murillo Bejarano, alias 'Don Berna' or 'Adolfo Paz'. S3 03 Cr. 1188 (RMB), 9 de febrero de 2009.

cobró dividendos ante la DEA el excapo José Bayron Piedrahíta. Este último, incluso le prestó un millón de dólares a 'Rogelio' para que le pagara honorarios a su abogado.

★ ★ ★

Una suerte similar a la de 'Don Berna' corrieron otros de los invitados a la cumbre mafiosa en El Vergel, la hacienda de 'Rasguño', que optaron por no negociar con la DEA.

Juan Carlos Rodríguez Abadía, alias 'Chupeta', llegó a Estados Unidos tres meses después de 'Don Berna', con un prontuario criminal que arrancó a finales de los años ochenta y al menos doce cirugías, con las que intentó escapar de la justicia.

El dosier en su contra era sólido y permitió que, el primero de marzo de 2010, 'Chupeta' estampara su firma en un acuerdo de diecinueve páginas, escrito a máquina, en el que se declaró culpable de catorce cargos que le hacían una corte de Nueva York y otra de Washington. Lo único que no aceptó, en una muestra de un falso pudor, fue haber disparado él mismo contra el narcotraficante Luis Alfonso Ocampo Fómeque. Sin embargo, admitió que lo atrajo a una reunión en la que sabía que lo estaban esperando varios sicarios para acribillarlo, siguiendo sus instrucciones.

Tras comprometerse a entregar más de 50 millones de dólares en propiedades y de pedir perdón por sus atrocidades, el 1.° de marzo de 2010, a las 5:34 de la tarde, alias 'Chupeta' fue sentenciado a una pena de veinticinco años de cárcel, seis menos que 'Don Berna'.

Diego Montoya, alias 'Don Diego', el narcotraficante que tanto buscaba la DEA, también terminó en Estados Unidos, en 2008, tras ser capturado por la Policía de Colombia. Fue acusado de enviar más de quinientas toneladas de cocaína y de una megaoperación de lavado de activos, quedando ranqueado ante el Departamento de Justicia como un capo del más alto nivel. El mafioso del Valle fue condenado a cuarenta y cinco años de prisión, que terminará de cumplir el 22 de noviembre del 2046, con ochenta y cinco años recién cumplidos.

"Mientras Carlos trataba de convencer a los narcotraficantes de que negociaran con la justicia de Estados Unidos, yo empecé a hacer consultas con políticos y personas influyentes para conocer cuál era su posición sobre el posible sometimiento de mi nuevo cliente: el jefe de las Autodefensas de Colombia [...]. Por esa misma época, le pedí a Carlos que enviara a Estados Unidos a un representante de su grupo, a un politólogo o algo así, para que explicara sus posturas ideológicas ante las autoridades, y me enviaron a un señor Edwar Cobos Téllez, a quien después conocí con el seudónimo de 'Diego Vecino'. Era un señor muy amable, alto, un arrocero que entró a las Autodefensas, pero evidentemente se necesitaba otro tipo de interlocutor en Estados Unidos. Eso fue un año antes de que George Bush fuera electo [...]. La propuesta de Carlos no cayó bien

entre muchos narcotraficantes y miembros de su organización que creían seguramente que él los iba a entregar para salvarse. Algunos lo empezaron a aislar y, después de la cumbre con la mafia, me empezó a recibir en su casa, ya más relajado y sin el camuflado puesto. Era un lugar muy lujoso, con vista al río Sinú, donde permanecía su esposa Kenia, que estaba embarazada. En una oportunidad, me invitó a ver el partido del Campeonato Mundial de Corea en el que Brasil le ganó a Alemania. Fue el 30 de junio de 2002, siempre lo recuerdo.

"Carlos quería buscar un arreglo con Estados Unidos para luego vivir allí e incluso estudiar, pues admiraba mucho este país. Pero su ambición era, en un futuro, volver a Colombia e ingresar a la política. De hecho, él miraba su caso desde un punto de vista netamente político. Siempre consideró que el flagelo del narcotráfico era el responsable de la división del país y que la droga nutría a las Farc, al ELN [Ejército de Liberación Nacional] y a su propio grupo. Era idealista, se creía un salvador. Pensaba que aquí lo iban a recibir con los brazos abiertos luego de que Time Magazine le sacara un artículo con gran despliegue, y con ese tipo de cosas él se consideraba una persona muy influyente y poderosa. Yo no creo que se haya lucrado con el narcotráfico de la manera como lo hicieron los otros, y así lo testificaron algunos paramilitares acá en Estados Unidos [...]. Además, Carlos tuvo otro motivo más poderoso para venir a Estados Unidos: la salud de un familiar que tenía una enfermedad genética que solo se da en unos pocos casos, y creían que podían encontrar ayuda en Filadelfia. Eso tenía a Carlos muy mortificado".

"El Rey de la Selva". Así tituló *Time Magazine* el reportaje del que habla el abogado Pérez, publicado con gran despliegue el 18 de noviembre de 2000. En el informe periodístico se asegura que Carlos Castaño era uno de los hombres más temidos y poderosos de Colombia, con una brillante y peligrosa lucidez. Y describían en detalle cómo se había apoderado de pequeños ejércitos privados en diferentes regiones del país, que había reagrupado para diezmar a la guerrilla con prácticas sangrientas, como las masacres.

> "Carlos dijo varias veces, en público y en privado, que algunas de esas masacres eran inevitables dentro de un conflicto como el colombiano: una guerra civil. Decía que las guerras entre hermanos, las fratricidas, no eran convencionales. Y mencionaba algunos ejemplos, como la Guerra Civil española, donde actos de extrema violencia fueron ejecutados por los bandos. Esa clase de guerras engendraban esos odios. Me decía: 'Ese tipo de odio hace a la gente participar en actos atroces'. Eso, unido a las críticas que recibía de sus adversarios, lo agobiaban".

Castaño se describió en ese reportaje como un moderno pacifista, con proyección política, poderosos amigos, formación militar y ocho mil hombres en armas que controlaban el 25 % del territorio de Colombia. En esa y en otras entrevistas con medios internacionales, Castaño admitía recibir patrocinio de narcotraficantes a los que, sin embargo, calificaba como una plaga que debía exterminarse. "Cuando esto termine, que me juzguen ante un tribunal internacional, pero quiero que los líderes guerrilleros y el Ejército colombiano estén a mi lado en el banquillo", le dijo Castaño a la influyente revista *Time Magazine* en plena selva, donde, dijo, tenía un campamento equipado con hombres, armas, internet y teléfonos móviles: "Anoche vi una película de Kevin Costner, *Message in a Bottle*, en televisión por satélite", declaró.[30]

Pero las cosas cambiaron radicalmente el 10 de septiembre de 2001. Ese lunes, el entonces secretario de Estado, Colin Powell, designó a las AUC "organización terrorista extranjera", y los acercamientos de Castaño con la justicia de Estados Unidos se interrumpieron.

"Con esa designación, las cosas se empezaron a complicar. A principios de junio de ese año, Carlos me había enviado un correo electrónico anticipándome lo que horas después supo su país. Que iba a renunciar irrevocablemente a la jefatura de las Autodefensas, por los excesos que estaban cometiendo. Para ese momento había dos corrientes en la organización: una moderada, que él representaba, y otra radical, pero todas las acciones de las Autodefensas, sin importar de dónde vinieran, se acumulaban en contra de Carlos [...]. Y para el gobierno de Bush era importante llevar a Estados Unidos al emblemático de las autodefensas. Incluso me acuerdo de que el entonces presidente Álvaro Uribe Vélez fue al rancho de Bush y al final de la visita hubo

---

30 Tim McGirk, "King of the Jungle", *Time Magazine*, 18 de noviembre de 2000.

una rueda de prensa conjunta, en la que el presidente de Estados Unidos advirtió que iba a insistir en la extradición de los jefes paramilitares. Para ellos fue un anuncio duro porque decían que compartían ideales políticos con Uribe y que se movilizaron para que él llegara a la presidencia. Además, las llamadas Convivir, impulsadas cuando fue gobernador de Antioquia, eran prueba de que congeniaban con sus políticas de seguridad. Salvatore Mancuso y 'Jorge 40' siempre decían que el gobierno los necesitaba para neutralizar la acción de las Farc. Sin embargo, Carlos ya había empezado a pensar de otra manera. Mi impresión era que a medida que la negociación se estaba concretando, a Carlos lo empezaron a relegar [...].* Yo sabía que las expectativas de Carlos no eran realistas. En todo caso, se alcanzó a negociar su entrega con fiscales de Nueva York y de Washington".

'Diego Vecino', el emisario que Castaño envió a Estados Unidos con el título de 'canciller' de las Autodefensas, terminó pagando ocho años de prisión luego de admitir más de dos mil crímenes en los que participó el bloque 'Héroes de los Montes de María', en el que aparecía como su 'jefe político'. Ese escuadrón paramilitar, uno de los más sanguinarios, sembró terror en el departamento de Sucre, donde ejecutaron varias masacres. Ante la Fiscalía, aceptaron 135 homicidios, 165 desapariciones forzadas, 137 torturas, 151 despojos,

---

(*) Se elimina la mención del señor Jorge Luis Hernández Villazón por rectificación integral y solicitud expresa de Joaquín Pérez.

159 casos de desplazamiento forzado, 138 hechos de abuso sexual, 144 actos de terrorismo, 154 situaciones de destrucción y apropiación de bienes, 347 amenazas, 244 extorsiones, 149 detenciones ilegales, 384 crímenes relacionados con el tráfico de droga, 141 casos de prostitución o esclavitud sexual y 162 reclutamientos ilícitos. Pero gente en el departamento de Sucre dice que fueron muchos más.

Edwar Cobos, alias 'Diego Vecino', accedió a reconstruir el episodio en el que, de paso, conoció a Pérez:

"Carlos Castaño me encomendó el trabajo de dar a conocer las posturas de las Autodefensas, pero también lo que estaba pasando en el Caguán, la zona que el gobierno de Pastrana les despejó a las Farc supuestamente para adelantar diálogos de paz. En esa época, todas las noticias eran sobre las masacres paramilitares y nos empezaron a macartizar. Pero nosotros teníamos pruebas de que las Farc estaban rearmando a sus hombres. Sabíamos, por ejemplo, que desde un avión tiraron decenas de armas sobre la zona desmilitarizada del Caguán. Y ya estaba en marcha un plan para despejar el sur de Bolívar en condiciones similares [...]. Yo no tenía antecedentes ni investigaciones judiciales y Estados Unidos me acababa de renovar la visa. Eso hizo que Carlos me eligiera para hacer acercamientos con académicos y autoridades de ese país. Con ese propósito llegué a Miami, donde me esperaba Nicolás Bergonzoli, que a su vez había servido de puente para que Carlos contactara al abogado cubanoamericano Joaquín Pérez. La idea era hacer *lobby* o cabildeo con la justicia y con congresistas demócratas para dar a conocer el componente político de la organización y la intención de Castaño de liderar un sometimiento de poderosos miembros de la mafia del norte del Valle. En ese momento, ningún jefe de las autodefensas estaba pedido en extradición".[31]

Un día después de aterrizar en Miami, Cobos contactó al abogado Pérez y sostuvo una entrevista con un periodista del *Miami Herald*. Luego, tuvo una reunión con una especie de *lobista* que había manejado mediáticamente el caso de Elián González, el llamado "balserito cubano", hasta convertirlo en un episodio político internacional, y querían repetir el patrón mediático con Castaño y sus hombres.

Cobos recuerda así su itinerario y cabildeo: "El objetivo era hacer *lobby* de alto nivel en Estados Unidos para mostrar que la organización estaba presta a buscar acercamientos con ese Gobierno en una negociación, si esta se hacía de manera colectiva y si esa negociación también tenía como fin y como propósito contribuir a la desactivación de otros actores ilegales del conflicto colombiano. Pero el tema principalmente era darles a conocer a estos sectores de la comunidad internacional lo que estaba pasando en el Caguán. Al día siguiente, tuve una reunión con un funcionario de una oficina de abogados de Florida, con sede principal en la ciudad de Washington, pero no recuerdo el nombre. En total, fueron tres reuniones entre el 14 y el 20 de marzo. También fui a una cena en casa del abogado Pérez y a un restaurante de la zona

---

31 Entrevista con la autora, 16 de marzo de 2018.

de Coconut Grove, a la que asistió el señor Bergonzoli. En septiembre de ese mismo año viajé a Argentina. Allí estuve en un foro académico y en otro con militares de alto rango en su Escuela Superior de Guerra, por invitación de los catedráticos Mario Sandoval y Ricardo Solar. Viajé a Buenos Aires en compañía del licenciado Juan Antonio Rubbini, analista político radicado en Colombia. Llegué el 9 de septiembre y me hospedé en el Hotel Sheraton, ubicado junto a la plaza de los Ingleses, en la zona céntrica de Buenos Aires, y regresé el 17 de septiembre. Estuve en la Universidad de Lanús y asistí a un foro en la Escuela Superior de Guerra de la ciudad de Buenos Aires, donde el tema principal era el conflicto en Colombia y sus repercusiones en América Latina. Recuerdo, como anécdota, que en una de las charlas con militares hablé de la complicidad del Gobierno de Venezuela con la guerrilla de las Farc y la existencia de campamentos en su territorio. Un general de ese país se molestó mucho y terminaron sacándome del recinto".[32]

Con la agenda parcialmente cumplida en Estados Unidos, Cobos regresó a Colombia: estaban esperando que el asesor les dijera cuál era el momento adecuado para empezar a posicionar sus ideas y líderes en ese país. Mientras eso sucedía, Cobos tenía previsto dictar una charla en la Universidad de La Sorbona, en París.

Pero esa avanzada diplomática —similar a las planeadas por fichas de la guerrilla en el exterior— se vio frustrada por dos acontecimientos: la designación de

---

32 *Ibidem.*

las Autodefensas como grupo terrorista, por parte del Gobierno de Estados Unidos, y el atentado a las Torres Gemelas, el 11 de septiembre de 2001.

Con el estigma de terroristas internacionales tuvieron que replegarse de inmediato a sus campamentos; la llamada comandancia de ese ejército ilegal y sangriento quedó desde ese momento en la mira de la justicia de Estados Unidos. Al propio 'Vecino', el 'canciller', le abrieron un *indictment* en ese país y luego fue procesado en Colombia. Tras pagar su condena, 'Vecino' recuperó su libertad el 16 de abril de 2015 y ahora se desempeña como vocero de Reconciliémonos Colombia, una ONG que aglutina a varios desmovilizados.

"Después de que pusieron a Carlos en la lista de terroristas lo fui a ver a La Acuarela, la escuela de entrenamiento de las autodefensas, donde tenían instalada una clínica. En el lugar había un salón con una cama de hospital, que era el único lugar donde había privacidad: era una oficina con dos divisiones y un buró [escritorio]. De pronto, entró uno de sus soldados, que acababa de perder un pie. Yo seguía hablando y el hombre empezó a convulsionar. Una enfermera trató de calmarlo, pero él gritaba. Sin embargo, Castaño no dejó de hablar ni un segundo. Eso demostraba lo triste que era la guerra y su intensidad. Estaba tan concentrado que ignoró lo que estaba pasando a unos metros. El hombre seguía gimiendo. Fue espeluznante. La peor entrevista que he tenido con un cliente en toda mi vida".

★ ★ ★

En medio de un ambiente enrarecido y de profundas divisiones internas, Castaño decidió renunciar al liderazgo en las Autodefensas, tal como se lo había anticipado a su abogado. Para algunos, fue una jugada desesperada para seguir negociando con Estados Unidos, pero con la dimisión, terminó perdiendo poder y el patrocinio del narcotráfico para sostener la guerra y su vida:

Colombia mayo 30 de 2001
Compañeros de causa,
Somos en las AUC "amigos y respetuosos de las instituciones del Estado". Este principio es inviolable: Respétenlo.
Renuncio irrevocablemente a mi cargo otorgado por Ustedes.
Carlos Castaño.

Su dimisión se dio días después de que las autoridades ejecutaron un megaoperativo contra las finanzas paramilitares. La avanzada de la Fiscalía de Colombia incluyó la casa de Salvatore Mancuso, segundo al mando de la organización, muy cercano a Castaño.

El 24 de mayo, a las 4:30 de la mañana, 150 miembros de las Fuerzas Especiales del Ejército, 10 fiscales y 30 agentes del CTI llegaron a Montería con un puñado de órdenes de captura y permisos para realizar 21 allanamientos.

Un par de agentes fueron a la residencia de Martha Dereix, la primera esposa de Mancuso. Durante la requisa al palacete, ubicado en la calle 64 N.° 8A-56, en una esquina del lujoso barrio La Castellana, el agente del CTI José Hélmer Cañas Silva le disparó a Alfredo Manuel

EL ABOGADO DE LA MAFIA

Lora Guarne, uno de los trabajadores de confianza del jefe paramilitar, y terminó 'hiriendo' de muerte a Carlos Castaño.

Ese operativo en pleno santuario del paramilitarismo y la muerte de Lora desencadenaron la ira de Mancuso. En privado, le reclamó a Castaño la falta de una respuesta contundente contra las autoridades. El episodio no solo deterioró su relación, sino que además envió el mensaje a los otros jefes de las Autodefensas de que Castaño estaba cediendo ante la embestida oficial.

Castaño les confesó a un par de confidentes que otros 'comandantes' lo culpaban de haber bajado la guardia en el campo militar y de permitir que la guerrilla avanzara de nuevo en territorios ya 'conquistados', especialmente en el Urabá Antioqueño, e incluso en municipios del norte de Córdoba, su fortín.

Y aunque Mancuso aseguraba que su organización no tenía una estructura monolítica y que ser líder supremo de las Autodefensas era parte de la "imaginación febril del comandante Castaño",[33] aceptó reemplazarlo y convertirse en la nueva cabeza de ese ejército criminal.

A partir de ese momento, Castaño empezó a descender en picada por la pirámide de mando de las autodefensas, perdiendo cada vez más control, hombres bajo su mando, poder económico y seguridad.

En su correspondencia personal quedó la evidencia de la supuesta estrechez económica por la que atravesaba y

---

33 Fiscalía General de la Nación, audiencia pública, 18 de enero de 2007.

de que la enfermedad de su familiar se había convertido en su prioridad, como lo narra el abogado Pérez.

En agosto de 2002, empezó a recoger dinero y a ofrecer en venta varias de sus obras de arte, entre ellas sus cuadros de Alejandro Obregón y de Fernando Botero. El propósito, decía, era enviar a su familiar y a su esposa a Memphis (Tennessee), a una cita con un neurólogo. También había hecho contactos en Filadelfia (Pensilvania) con otro especialista al que le compartió el diagnóstico.

"Le ruego informarle al neurólogo que [...] le han diagnosticado el síndrome de Cri Du Chat, su cariotipo es 46XX del [5p, 15.1]. Esto es conveniente que lo sepa el neurólogo previo a la cita [...], pues es un síndrome bastante raro, y normalmente un médico no especializado en la materia, incluso algunos genetistas, solo conocen elementalidades y la literatura que hay al respecto es muy genérica, y crea, en la mayoría de los casos, alarmas irreales, aunque hay casos severos, incluso fatales", escribió en un correo electrónico en el que describía el cuadro médico de su allegada, que se había convertido en su punto más vulnerable.

Y en otros mensajes, que cayeron en manos de las autoridades, también quedó claro que sus relaciones y confianza con 'Jorge 40' estaban hechas trizas y que a 'Don Berna' lo consideraba un traidor.

Además, decía que le preocupaba que Mancuso le empezaba a dar la espalda y que, si bien le guardaba respeto a su hermano mayor, Vicente, también le tenía terror.

Sobre 'Jorge 40' le escribió a Mancuso, el 19 de noviembre de 2002: "Le ruego me comprenda cuando le anuncio que, definitivamente, yo no estaré nunca más al lado de un hombre como '40' a quien le es ajeno el sentimiento de la gratitud; pues no es confiable para mí un tipo ingrato, que ahora es solo eso y luego podría ser mi verdugo cuando ya no me necesite".

Sobre 'Don Berna', le escribió a Vicente Castaño, el 29 de noviembre de 2002:

"Adolfo ['Don Berna'] se comporta ante mí como fiel servidor y amigo; al tiempo que hace comentarios a terceros del siguiente tenor: '¿No nos iría mejor si negociamos al lado del Bloque Central Bolívar?, pues al lado de dos extraditables el futuro no se ve. Hay un grupo grande [capos] que está que se unen a las Farc, si les damos la espalda'. ¿Cómo les parece este esperpento? (chantaje chimbo unipersonal lo llamo yo). '¿No es mejor que Carlos se margine de la negociación y la coja Mancuso?' [...]. Este es su desespero producto de su vergüenza ante los narcos y ante mí, pues no le cumplió a ninguno de los dos; no sé cómo hace este pobre hombre para dormir, yo prefiero ignorarlo, aunque debo trabajar también por él, si se ayuda él mismo desde luego".

De Mancuso, le dijo a 'Don Berna', el 11 de noviembre de 2003: "Queda el sinsabor de la estrambótica declaración de Mancuso en reunión pública afirmando de mí, que: 'Usted nos mandó a masacrar 200 personas y su hermano, mientras más muertos trajéramos, más le gustaba'. Esta versión, contrasta con la realidad, por manipulada e imprecisa la aseveración. Me obliga a preguntarle al amigo Mancuso si él estuvo dispuesto a masacrar personas por orden mía contra su voluntad, cuando ni siquiera estuvo dispuesto a devolver voluntariamente, y por petición mía, un vehículo robado al movimiento No al Despeje".

Y de su hermano Vicente escribió en una carta para el llamado Estado Mayor de las AUC, el 10 de noviembre de 2002: "De mi hermano agradezco lo más grande; estar vivo. Las AUC sin él, no serían las AUC".[34] Pero en realidad le tenía terror.

Sobre Vicente Castaño, el segundo de los hermanos Castaño Gil, el abogado Pérez habla poco:

> *"Salvatore Mancuso me dijo que una noche antes de que los jefes de las Autodefensas se empezaran a entregar a las autoridades, Vicente Castaño, alias 'el Profe', les notificó que no iba. Que el Gobierno no les iba a cumplir, y se fue a la clandestinidad. Yo nunca conocí a alias 'el Profe', a pesar de que era compadre de Nicolás Bergonzoli. Pero su poder siempre estuvo ahí, aglutinaba tanto a 'paras' como a narcos".*

Al final, según testimonios recogidos en Colombia y en Estados Unidos, los propios jefes de las Autodefensas aseguraron que Vicente Castaño firmó la 'sentencia de muerte' de su hermano menor, Carlos.

"El 16 de abril de 2004 mataron a Carlos. Pero la incertidumbre de si aún estaba vivo duró cerca de una semana.

---

34 "Con esos amigos…", *Semana*, 9 de septiembre de 2008.

Yo lo había ido a visitar por última vez en enero de ese año y me di cuenta de que su situación ya era crítica. 'Es que ahora los que mandan son ellos', me dijo Carlos cuando le pregunté qué estaba pasando [...]. El día que se supo de su inminente asesinato, un viernes, mi esposa contestó una llamada del agente de la DEA John Barry, quien le pidió que me pusiera al teléfono y me avisó de la posible desaparición de mi cliente. Me dijo que querían sacar de inmediato del país a Kenia porque creían que ella tenía información valiosa sobre la organización, incluyendo documentos. Un avión de la DEA fue por ella a Colombia, se la llevaron sin permisos ni visados y la ubicaron en un apartamento en Nueva York, junto con una familiar y una niñera que trajo de Montería. La protegieron durante meses. Luego supe que, por un tiempo, tuvo una relación, y al parecer ahora va y viene de Colombia. A Agredo también lo trajeron de España. Ahora vive en Miami, ya tiene como 74 años y tuvo una estación de gasolina cerca de mi oficina".

En las agendas del abogado Pérez, que consulta cuando necesita refrescar o precisar algún dato en su memoria, consta que el 20 de abril viajó a Nueva York, hacia las dos de la tarde, y se reunió con Kenia, la joven viuda de Castaño. Ella iba acompañada de los agentes federales John Goldberg, Bill Johnson, Pete Bonard y Erick Triana. También señala que Richard Sullivan, entonces jefe de Antinarcóticos y ahora juez federal, se encargó de su reubicación y, de paso, de la de Agredo, que terminó siendo un intocable.

A este último nunca le pasó nada en Colombia ni en Estados Unidos, a pesar de que aparece involucrado en varios delitos, descritos detalladamente dentro de las confesiones de jefes narcoparamilitares, incluido Salvatore Mancuso.

En su acuerdo de culpabilidad —que reposa en el Departamento de Justicia— consta que Mancuso habló de Humberto Agredo Espitia como el colombiano que importó desde Bulgaria miles de fusiles y millones de cartuchos con los que se robusteció el ejército criminal de las autodefensas. Agredo ocupa el puesto 57 en el listado de 81 jefes paramilitares de los que Mancuso entregó información detallada a las autoridades de Estados Unidos. Y también aparece en un informe de inteligencia de la DEA, con el sello de "clasificado", como miembro clave de la estructura paramilitar.

Allí se asegura que Agredo fingía ser un simple comercializador y distribuidor de repuestos para carros de alta gama, negocio que aún tiene su familia en Cali. Pero esa era la fachada de sus actividades, que ya le habían valido una medida de aseguramiento por tráfico ilegal de armas.

Desde 2005, cuando volvió a Colombia, luego de estudiar ingeniería en Bulgaria, Agredo se contactó con el capitán retirado del Ejército Jorge Rojas y empezaron a planear cómo llegar hasta la cúpula de las Autodefensas. Agredo inició una negociación de armas en Bulgaria y a tejer el plan para traerlas. La fachada iba a ser Expomilitar, una feria militar en la que se exhiben material bélico y nuevas tecnologías, y donde Rojas ya era conocido. Usando ilegalmente un par de documentos que tenían la firma del entonces comandante del Ejército, general Jorge Enrique Mora Rangel, Agredo logró introducir 7.640 fusiles AK-47 M1A1, calibre 5,56 × 45 mm, de fabricación búlgara, camuflados en máquinas rectificadoras de metal, que se negociaron legalmente.

En mayo de 1999, en un vuelo de Air France, una avanzada del cargamento llegó al país con destino a la exhibición militar. Al mismo tiempo, los fusiles para los paramilitares eran embalados en el barco *King Simeon,* a través de la firma Global Maritime Services. Después de hacer una escala técnica en el puerto de Róterdam, los contenedores con el arsenal fueron trasladados al *CSAV Perú,* una embarcación de bandera croata, que zarpó el 5 de mayo de 1999 con destino final en el puerto de Buenaventura, en el Pacífico colombiano.

Luego del operativo, que Castaño calificó como "el mejor gol de su vida" (en diálogo con reporteros del diario *El Tiempo*), Agredo recibió una jugosa recompensa en dólares, el título de comandante 'Mario H', y, además, se convirtió en el depositario de los secretos del poderoso jefe de las Autodefensas.

Agredo ya está mayor y jubilado. Sin embargo, jefes paramilitares que acceden a hablar de él piden no ser mencionados, por el miedo que aún genera. Lo describen como una "eminencia gris" dentro de las autodefensas; una especie de Rasputín detrás del trono, diciéndole a Castaño qué hacer e incluso controlando sus impulsos.

Los fusiles empezaron a distribuirse en los bloques paramilitares que se estaban conformando en la costa del Caribe. El aparato criminal de Castaño tomó mayor fuerza, y Agredo ganó respeto entre los asesinos que lo conformaban. Pero a mediados de 2000 varios de los fusiles camuflados en un camión cisterna que rodaba por la vía que conduce de Santa Marta a Riohacha fueron incautados por la fuerza pública. Y ahí se descubrió todo. Tras ser inspeccionados, se estableció que eran marca Arsenal, de fabricación búlgara, y, a través de la Interpol, se le pidió a Bulgaria que informara cómo se compraron. Todo empezó a apuntar a los paramilitares y a sus cómplices.

"Agredo era mi contacto con Carlos. Era inteligente, con formación política fuerte, y promovía todas las iniciativas de Carlos. Pero cuando empezaron los problemas se fue a España y al poco tiempo me llamó para pedirme que facilitara su ingreso a Estados Unidos. Efectivamente vino y arregló su situación. Solo le puedo decir que Agredo tenía evidencia que le sirvió mucho a la justicia de Estados Unidos. No pagó ni un solo día de cárcel. Los papeles para su permanencia se hicieron con agentes de Nueva York. En una ocasión, que fui a visitar a Kenia, la joven esposa de Castaño, a Nueva York, él acababa de llegar. Luego supe que se mudó para la parte central de Florida, que es más agrícola".

Pero Carlos Castaño no corrió con tanta suerte.

El 16 de abril de 2004, un escuadrón armado ejecutó la orden de asesinarlo, impartida por uno de sus hermanos mayores, Vicente Castaño, con el beneplácito del llamado Estado Mayor de las Autodefensas.

Elkin Casarrubia Posada, alias 'el Cura', un agricultor monteriano con segundo de primaria, una cicatriz en la ceja izquierda y un tatuaje de una flor con una daga en el hombro derecho, le entregó detalles a la Fiscalía de Colombia de cómo había sido asesinado el cliente de Joaquín Pérez.

Dijo que varios de los líderes paramilitares, incluido Vicente Castaño, creían que el jefe de las Autodefensas preparaba una entrega masiva de comandantes paramilitares, a cambio de beneficios judiciales en Estados Unidos y de protección para su familia. También aseguró que, para ese momento, todo el Estado Mayor había empezado a aislar a Castaño y que tan solo tres jefes de las Autodefensas seguían sus órdenes: Freddy Rendón Herrera, alias 'el Alemán'; Diego Martínez Goyeneche, alias 'Daniel', y Rodrigo Tovar Pupo, alias 'Jorge 40'.[35]

En su versión ante la Fiscalía de Justicia y Paz, 'el Cura', curtido asesino de 1,65 de estatura, al servicio del paramilitarismo desde los años noventa, aseguró que sabía quién había disparado contra Castaño: "Fue alias 'Móvil 5'", dijo sin titubear.

Aunque no recordaba con precisión el nombre del asesino, las autoridades establecieron que se trataba de Manuel Salvador Ospina Cifuentes, un sicario de confianza de Fidel Castaño (el mayor de los Castaño Gil) y jefe de Los Tangueros, el grupo paramilitar creado por

---

35 Fiscalía 18 de Justicia y Paz, 22 de febrero de 2011.

la familia Castaño Gil en Córdoba. Según 'el Cura', para ejecutar el crimen del líder de las autodefensas, que aún conservaba un ejército personal, aunque reducido, se eligieron cincuenta paramilitares pertenecientes a los bloques Calima y Bananero, a los que se unió un grupo de confianza de Diego Fernando Murillo Bejarano, alias 'Don Berna'.

El escuadrón que lo acribilló llegó a toda velocidad a la vereda Rancho al Hombro, levantando una nube de polvo en la carretera. En ese caserío, a la orilla de la vía que de San Pedro de Urabá conduce a Arboletes, Castaño frecuentaba ir a conectar su computador. Solo hasta ahí llegaba la señal de internet, que nunca pudo llevar a sus campamentos favoritos, aunque así lo hizo creer en el reportaje que le concedió a *Time Magazine* en tiempos en que los otros comandantes de las autodefensas lo respetaban y le temían.

Cuando lo vieron en el mostrador del lugar con su portátil, tratando de enviar algunos correos, el escuadrón empezó a disparar asesinando a varios de sus escoltas. Castaño corrió unos cuantos metros y se refugió herido en el rancho de un campesino, y hasta allí le llegaron los pistoleros. Al parecer, el otrora líder paramilitar, un avezado asesino desde los dieciocho años, no pudo defenderse con su pistola Glock 9 mm. Días atrás —en Semana Santa—, mientras paseaba en lancha con su esposa Kenia, se había lesionado el codo del brazo derecho, con la hélice de un motor fuera de borda, y esto había limitado sus movimientos. Sus diez escoltas fueron avasallados por el grupo que su hermano le envió.

"Allí, recostado en una silla contra la pared, Carlos Castaño nos preguntaba qué estaba pasando, y 'Móvil 5' le hacía varios reclamos. Cuando Castaño insistió en que lo llevaran hasta donde su hermano Vicente, 'Móvil 5' le disparó y lo mató", aseguró 'el Cura', quien, al igual que el resto de los asesinos, recibió dos millones de pesos por eliminar al 'Rey de la Selva'.[36]

Luego de la operación, los enviados de Vicente Castaño irrumpieron en varias fincas frecuentadas por Carlos Castaño en busca de dinero y armas. En una de ellas encontraron fusiles, incluido un remanente de los búlgaros, y en otra, una caleta con pesos y dólares.

Los autores intelectuales del crimen, según testificó 'el Cura', fueron Vicente Castaño, Éver Veloza, alias 'HH', y Jesús Ignacio Roldán Pérez, alias 'Monoleche'. Inicialmente 'Monoleche' se cobró la autoría del crimen, pero luego se retractó y señaló a 'Movil 5', quien fue capturado diez años después de ejecutar a Castaño.

Tras la desmovilización de las autodefensas, 'Móvil 5' se sumó a las filas del Clan del Golfo, con quienes delinquió hasta el 2014, cuando fue capturado. El supuesto asesino de Castaño fue condenado por varias masacres, pero nunca por la del cliente de Pérez.

Y aunque el 17 de enero de 2018 'Móvil 5' pidió ser admitido en la JEP, no alcanzó a dar su versión sobre ese episodio. El 11 de marzo de 2019, a través del radicado 20192000073693, el fiscal de apoyo I de la JEP indicó:

---

36 Unidad Nacional de Fiscalía para Justicia y Paz, Medellín, versionado Elkin Casarrubia Posada, abril de 2010.

"[...] en fecha cinco (5) de marzo de 2019 el servidor judicial asignado entrega segundo informe definitivo a la labor investigativa ordenada, al hacer revisión del informe me permito informar a la magistratura que el señor Manuel Salvador Ospina Cifuentes, falleció el 18 de abril de 2018. Se adjunta Registro Civil de Defunción N.° 09578415".

Durante algunas semanas, el propio Joaquín Pérez creyó que el otrora poderoso líder de las Autodefensas podía haberse salvado y que estaba oculto en alguna vereda. Incluso, en Colombia corrió el rumor de que lo habían sacado a Estados Unidos o a Israel, junto con Kenia. Pero, en agosto de 2006, un cadáver descompuesto, hallado en la vereda Camagüey, en Valencia, departamento de Córdoba, enterró cualquier especulación. Estaba en una fosa común con otros restos de víctimas de la organización que él mismo gestó; respondía a sus características: 1,69 metros de estatura, raza mestiza (tipo caucasoide) y dos fracturas antiguas, que sus familiares describieron.

Uno de los hijos del jefe paramilitar, un modesto finquero de Gómez Plata, municipio antioqueño donde nacieron casi todos los Castaño Gil, accedió a tomarse una prueba de ADN. Esta salió compatible, en un 99 %, con la que se recuperó en los restos encontrados en la fosa y exhumados por expertos forenses del Cuerpo Técnico de Investigación (CTI), de la Fiscalía. El dictamen pericial y una prueba técnica sobre el cadáver señalaron que una bala de pistola 9 mm le atravesó el ojo izquierdo y salió por la parte posterior del cráneo. Aunque no fue la única que lo impactó, los forenses señalaron que ese proyectil se encargó de acabar con la vida de Carlos Castaño.

"Posiblemente hubo disparos que atravesaron tejidos blandos, pero como ya no existen, no podemos establecer si hubo más descargas", aseguró James Valencia, entonces director de la División de Criminalística del CTI.

Alias 'Monoleche' accedió a llevar a los investigadores hasta la fosa donde estaban los restos del paramilitar.

Nicolás Bergonzoli, el excapo cercano a Castaño, también terminó con un balazo en la cabeza. Él mismo se lo propinó la mañana del lunes 4 de octubre de 2021, en el estudio de su lujosa casa, ubicada en el condado de Palm Beach (Florida).

Después de sobrevivir a varias guerras y de lograr cierto estatus en Florida, su sobrino Sebastián Bergonzoli terminó involucrado en un expediente de narcotráfico y criptomonedas, que el agente especial de la DEA Christian García se encargó de documentar en secreto, con interceptaciones y testigos.[37]

---

37 "Se suicidó en EE. UU. Nicolás Bergonzoli, poderoso excapo colombiano". Unidad Investigativa de *El Tiempo*, 6 de octubre de 2021.

Nadie hablaba ni del caso en progreso ni del suicidio. Y, por orden del Departamento de Justicia, la acusación en contra del sobrino de Bergonzoli estaba sellada. Pero, por error, fue subida al sistema oficial por unas horas y la noticia del suicidio del excapo se regó como pólvora en el bajo mundo de la mafia de Medellín.

Uno de los 'inversionistas' confesó que le habían inyectado más de 35.000 millones de pesos al negocio de las criptomonedas que terminó contaminado con cocaína. Según dijo el inversionista, el caso afectó directamente a Bergonzoli y a otro de sus exsocios de la mafia conocido como 'Gato Negro', a quien el agente especial Christian García anda buscando.

LOS SECRETOS

DE
MANCUSO

"13 de mayo de 2008: llegaron a Estados Unidos Mancuso y 'Jorge 40' [...]. El 15 de mayo viajé a Washington D.C. para hablar con Hugues Rodríguez sobre su caso [...]. El 15 de julio llegué de nuevo a Washington a las siete de la mañana para hablar con Mancuso, quien había pedido encarecidamente reunirse conmigo, pues sabía que había representado legalmente a varias personas asociadas a las autodefensas. En la reunión estuvieron los fiscales del caso y su nueva esposa, Margarita Zapata González".

En la bitácora del abogado Pérez quedó consignado cómo, cuatro años después de la muerte de Carlos Castaño, decidió asumir los procesos en Estados Unidos de otros 'comandantes' de las Autodefensas.

El primero en contactarlo fue Salvatore Mancuso, un hombre radicalmente distinto a Castaño, que provenía de los llamados círculos sociales de Córdoba. Mancuso se vendía como un respetable ganadero y arrocero que había ayudado a liberar a la región de la guerrilla y que, para resguardarse de las autoridades, había tenido que asumir los alias de 'el Mono', 'Santander Lozada' o 'Triple Cero'.

"Mientras que Castaño era impulsivo, Mancuso era reflexivo y extremadamente calculador. Es inteligente. Tiene la habilidad de aprender diferentes tópicos con destreza. Cuando aprendió a volar helicóptero, se hizo experto, y sucedió lo mismo cuando empezó la práctica del tiro a platillo, donde llegó a ser campeón nacional. Luego se convirtió en un experto en los detalles de su caso y en las leyes que aplicaban en Estados Unidos".

Los siete semestres de ingeniería que hizo en la Universidad Javeriana, un curso de administración agropecuaria en un instituto tecnológico, y un par de módulos de inglés, tomados en la Universidad de Pittsburgh, lo hacían destacarse entre los sicarios, exguerrilleros y narcotraficantes que conformaban la cúpula de las Autodefensas Unidas.

"Él me explicó cómo había terminado en las filas de las Autodefensas. Me dijo que las Farc y otras guerrillas estaban extorsionando a las comunidades en el área de Córdoba, donde él vivía: 'Decidí que había llegado el momento en que no quería seguir sometiendo ni a mi familia ni a mí a las extorsiones de la guerrilla. Como el Gobierno de Colombia no ofrecía una protección real contra los ultrajes de esas organizaciones, decidí tomar las armas por mis manos y conformar un grupo para defender los intereses de los ganaderos y de aquellos cuyos derechos eran violados por

esos delincuentes. Ese fue mi bautizo en la guerra contra la guerrilla y la creación de las AUC. Daba la protección que el Gobierno no daba, y así fui creciendo en importancia dentro de las autodefensas. Llegamos a neutralizar a las guerrillas y a facilitar el proceso de transición que el presidente Álvaro Uribe utilizó para empezar a conseguir la paz en Colombia. Desafortunadamente, cuando firmamos la paz con su gobierno, el presidente Uribe decidió que éramos un estorbo y decidió extraditarnos a Estados Unidos', me dijo Mancuso. Después, muchos lo culparon de haber sido el líder de la desmovilización y servir de idiota útil".

Mancuso, acusado de ordenar y participar en masacres campesinas —como la de El Salado (febrero de 2000)—, tenía una conducta, una vida y unas estrategias de defensa particulares.

Llegaba a los campamentos de las autodefensas piloteando su propio helicóptero, usaba ropa de marca, tenía como *hobby* la cacería y se ufanaba de portar pasaporte de la Comunidad Europea, por tener ancestros italianos.

Después de su desmovilización, el 10 de diciembre de 2004, asistía escoltado, con corbata y zapatos Ferragamo e ínfulas de estadista, a las primeras audiencias de Justicia y Paz, en las que empezó a narrar sus crímenes atroces. Además, su poder y sus excesos, de los que hacía alarde, desencadenaron la orden del gobierno Uribe de concentrar a los líderes de las Autodefensas en las granjas agrícolas de La Ceja (Antioquia).

Lo que indignó a Uribe y al país fue que mientras Mancuso pregonaba liderar un programa de sustitución de cultivos de coca en el Nudo de Paramillo, se desplazaba por Montería metido en un convoy de camionetas 4×4 blindadas, escoltado por veinte guardaespaldas, armados con fusiles y pistolas. Ocho de sus guardaespaldas eran de la Policía y del DAS, asignados por el Estado para su protección, y los doce restantes eran excombatientes de las AUC, cuyo sueldo él pagaba de su bolsillo. Y aunque le aseguró a la Unidad Investigativa del diario *El Tiempo* que su fortuna y la de su primera esposa, Martha Dereix, las había perdido en la guerra, y que vivía en un apartamento en arriendo, realmente ocultaba un jugoso botín producto del narcotráfico y de la apropiación irregular de tierras.

La influencia que ejercía en toda la costa Caribe, por donde esparció el germen criminal del paramilitarismo, quedó ratificada en la fiesta que organizó para celebrar su segundo matrimonio. A pesar de estar en medio del proceso de desmovilización con el gobierno de Álvaro Uribe, invitó a 250 personas, entre políticos, empresarios y funcionarios. Contrató cinco orquestas y mandó a construir cabañas para alojar a los invitados. Y mientras se preparaba para confesar más de 1.400 crímenes, asistía a un *baby shower*, en el Club Campestre de Montería, del que hay registro fotográfico del periódico local.

Periodistas de *El Tiempo* publicaron varios reportajes sobre la vida que se estaban dando los jefes paramilitares y los montos de dinero que movían mientras aseguraban que no tenían cómo indemnizar a sus víctimas. Tras el escándalo, fueron recluidos en una granja agrícola y, más tarde, enviados a Estados Unidos, luego de que se recaudó evidencia de que, además, algunos seguían delinquiendo desde prisión.

"Ese argumento era completamente inválido. Nunca se presentó ninguna evidencia de que Mancuso había cometido crímenes después de su sometimiento. Mancuso siempre dijo que el expresidente Uribe lo extraditó para callarlo y que echaron mano de evidencia inexistente para extraditarlo. Subsecuentemente el Gobierno de Estados Unidos recibió información de que Mancuso no había delinquido durante el tiempo que estuvo recluido en la granja agrícola, después de la desmovilización".

Con un suéter Lacoste crema, esposado y rodeado de agentes de la DEA, la madrugada del martes 13 de mayo de 2008, Mancuso fue extraditado y terminó haciendo lo que Castaño no alcanzó y hasta le costó la vida: colaboró con la justicia de Estados Unidos y entregó 82 nombres de narcoparamilitares. Además, los de 7 políticos, 46 congresistas, 65 miembros de la fuerza pública y 7 empresas nacionales y extranjeras ligadas a las Autodefensas.

A algunos los vinculó de manera directa con las actividades ilegales del paramilitarismo; y a otros, como personas afines a lo que llamaba "los ideales de su organización".

También mencionó a respetables políticos a quienes los paramilitares apoyaron en elecciones o en actividades civiles. Esa lista la encabezaba Álvaro Uribe Vélez, cuya campaña a la presidencia, en 2002, fue respaldada por las autodefensas sin que él lo supiera o lo aprobara, según admitió el propio Mancuso. Habló, además, de dos de los hermanos Gallón Henao y del ganadero Santiago Uribe Vélez, hermano del expresidente Uribe.

Sobre este último, ofreció testificar en el proceso que se le inició por la presunta conformación del grupo paramilitar conocido como Los 12 Apóstoles.

"Yo, personalmente, en calidad de jefe de las autodefensas, hice patrullajes en Yarumal [zona de influencia de 'Los 12 Apóstoles'] y retuvimos a alias 'el Sastre', de las Farc, a quien tuvimos varios días en La Acuarela", dijo Mancuso desde prisión, meses antes de recuperar su libertad, y autorizó que ese dato fuera publicado.[38]

La última vez que se refirió a ese caso dentro de su expediente judicial fue a inicios de 2017, en una diligencia en Nueva York. Ese día insistió en que estaba listo para hablar. Luego dijo que, sin aparente motivo, lo confinaron al 'hueco', una celda de castigo donde solo tenía una cama cuya cabecera quedaba al lado del excusado.

"Me tienen aislado e incomunicado, es un ataúd de concreto y acero de 2 metros por 3 metros sin ventana o tiene una pequeña, pero está pintada y a través de ella no se puede ver. No tengo contacto con nadie, ni acceso a teléfono o *email* del correo institucional, no veo la luz del sol [...]. Es una tortura psicológica que me ha afectado no solo mental sino físicamente, al punto de que he perdido más de 30 libras, y por momentos me ha afectado la habilidad de procesar coherentemente información, por momentos pierdo la noción del tiempo", le escribió

---

38 Comunicación telefónica con la autora, 2 de febrero de 2020.

Mancuso a la Corte Suprema de Justicia de Colombia, en noviembre de 2017.

"No recibía visitas y estaba incomunicado. Nunca nos dijeron por qué lo habían confinado en esa celda. Solo pudo salir cuando se hizo pública esa carta", recuerda su abogado en Colombia Jaime Paeres.[39]

Sin embargo, Mancuso aseguró que, tiempo después, un funcionario federal le dijo que había una investigación en su contra. Cuando indagó acerca de qué se trataba y pidió la intervención del consulado, un agente del FBI le reveló que realmente era una medida de protección porque tenían información de que un narcotraficante mexicano quería matarlo, o que luego de una de las visitas podían atentar contra algún miembro de su familia.

Y también le preguntaron sobre un supuesto plan de fuga, que Mancuso desmintió: "Le dije que a mí me falta muy poco para salir y que tuvieran la certeza de que no pensaría en quebrantar ninguna norma".[40]

Las autoridades de Estados Unidos nunca han hecho referencia a ese episodio. Sin embargo, para Mancuso es claro que se produjo luego de ofrecer hablar de 'Los 12 Apóstoles'.

Para la defensa del ganadero Santiago Uribe, en cabeza del penalista Jaime Granados, es claro que los testigos

39 Entrevista con la autora, 29 de enero de 2020.

40 Comunicación telefónica con la autora, 2 de febrero de 2020.

que vincularon a su cliente con grupos ilegales, incluido Salvatore Mancuso, son falsos u ofrecen información de oídas, que no pueden sustentar. Además, que detrás del caso hay un burdo montaje dirigido contra el expresidente Álvaro Uribe Vélez.

En el caso de Mancuso, el reputado penalista Granados explicó ante los estrados que este solo dijo que le había escuchado hablar del ganadero a Carlos Castaño, una versión de oídas, la cual la justicia no estaba en posibilidades de corroborar por venir de un difunto. Y agregó que Álvaro Uribe "nunca se reunió con él, ni durante la campaña presidencial de 2002 ni cuando ejerció como gobernador de Antioquia".

La versión del entorno cercano al expresidente es que, con su testimonio, Mancuso busca tomar revancha contra Uribe porque lo extraditó a Estados Unidos debido a sus incumplimientos con el proceso de paz. Por eso, estaban seguros de que el juez del caso contra Santiago Uribe lo iba a exonerar de cualquier responsabilidad.

A pesar de la mala fama que lo antecedía, el Departamento de Justicia solicitó que Mancuso testificara dentro de varios procesos. Uno de esos casos fue el del alto oficial de la Policía Mauricio Santoyo Velasco, jefe de seguridad del expresidente Álvaro Uribe Vélez. Su proceso en Estados Unidos, por nexos con el paramilitarismo, fue revelado por la Unidad Investigativa de *El Tiempo*, un par de horas después de que se levantó el sello de 'secreto' que lo protegía por su connotación.[41]

Mancuso lo señaló de apoyar, colaborar y entregar información privilegiada a las Autodefensas.

Santoyo negó inicialmente los señalamientos. Además, aseguró que su fortuna, que incluía caballos de paso, no era ilícita, sino producto de su trabajo como oficial de Policía y de los dividendos que le arrojaba una fábrica de procesamiento de caña: Juan Panela.

Las declaraciones de Mancuso ayudaron a hundirlo y fueron tenidas en cuenta a la hora de tasar la sentencia en Estados Unidos contra Santoyo, el hombre que tuvo en sus manos la seguridad del presidente Uribe.

Unas semanas antes de que un juez le dictara condena a Mancuso, el abogado Joaquín Pérez pasó un escrito a la Corte del Distrito de Columbia en la que recordó, uno a uno, los casos en los que su cliente colaboró eficazmente con la justicia de Estados Unidos, destacando el de Santoyo. Pérez ya incineró esos documentos, siguiendo la regla de purgar su archivo y de honrar el secreto profesional. Pero copias fieles de todos ellos, y de otros que él ni siquiera conoce, reposan en el 'caso Mancuso', que el Departamento de Justicia y el Bureau de Prisiones conservan intactos porque aún hay casos que siguen vivos.

---

41 "Este es el expediente del general (r.) Mauricio Santoyo, que lo vincula con narcos y Auc", *El Tiempo*, 15 de junio de 2012.

"El general Mauricio Santoyo ocupaba puestos importantes en la Policía colombiana. De hecho, el general Santoyo era el jefe de seguridad del presidente Álvaro Uribe (...). El señor Mancuso proporcionó información de que después de que los comandantes de la AUC se desmovilizaran y confinaran en un centro de detención, este ayudó e instigó a los principales narcotraficantes Carlos Jiménez Naranjo, alias 'Macaco', y Diego Murillo Bejarano, alias 'Don Berna', en la recolección de una deuda de drogas. Este episodio causó gran preocupación entre los agentes de la DEA que trabajaban codo a codo con la Policía Nacional de Colombia".[42]

Además de lo dicho por Mancuso, la Fiscalía de Estados Unidos también tuvo en cuenta a otros testigos para llamar a juicio a Santoyo, condenarlo a trece años y 'graduarlo' como el oficial colombiano de más alto rango en ser procesado por sus nexos con el narcotráfico y el paramilitarismo.

Después de obtener algunas rebajas y de cumplir su pena, Santoyo fue deportado a Colombia, en abril de 2019, y recapturado en las escalinatas del avión que lo trajo de vuelta. Tenía abiertos procesos por concierto para delinquir agravado y presunta coautoría en la desaparición forzada de varias personas. Además, se le seguía una investigación por supuesto lavado de activos y enriquecimiento ilícito. Él niega todos los cargos y alega su plena inocencia.

---

42 Memorandum in aid of sentencing departure under USSSG, criminal case 02-388 (2) (ESH). 31 de marzo de 2015.

Al igual que varios exjefes paramilitares, guerrilleros y militares, el exgeneral logró que la JEP lo aceptara, y, en septiembre de 2021, se anunció que, si bien no se le otorgaría la libertad, quedaba recluido en una guarnición militar mientras avanzaba su proceso.

Lo que pocos saben es que en la declaración de Mancuso a fiscales gringos hay once generales más, del Ejército y de la Policía; nueve coroneles y una decena de uniformados de otros rangos, algunos de los cuales aún no han sido indagados por la justicia de Colombia.

En cuanto a congresistas y dirigentes, Pérez se encargó de recordarle a la justicia de Estados Unidos que Mancuso atestiguó en los casos de varios políticos procesados y, la mayoría, ya condenados por la justicia colombiana: Vicente Blel Saad (condenado en 2010), Libardo Simancas Torres (condenado en 2012), Muriel Benito Revollo (condenada en 2008), Eleonora Pineda (condenada en 2008), Ricardo Elcure Chacón (condenado en 2009), Jairo Enrique Merlano (condenado en 2011), Miguel Ángel Rangel (condenado en 2010), Miguel Alfonso de la Espriella (condenado en 2008), Jorge Eliécer Anaya (condenado en 2009), Julio Manzur Abdalá (procesado por la Corte Suprema y aceptado en la JEP en 2020), Jorge Castro Pacheco (condenado en 2010), Mario Salomón Náder (condenado en 2014), Carlos Arturo Clavijo (condenado en 2008), Luis Eduardo Vives Lacouture (condenado en 2008), Jorge Luis Feris Chadid (condenado en 2012), Alfonso Campo Escobar (condenado en 2007), Mauricio Pimiento (condenado en 2008), Jorge Eliécer Anaya (condenado en 2009), Salvador Arana Sus (condenado en 2009), Gonzalo García Angarita (condenando en 2009 y 2020), Dixon Ferney Tapasco (condenado en 2011), Álvaro García Romero (condenado en 2010), Álvaro Araújo Castro (condenado en 2010), Hernando Molina Araújo (condenado en 2010), Eric Julio Morris (condenado en 2007), Juan Manuel López Cabrales (condenado en 2008), Reginaldo Montes (condenado en 2008), Karelly Patricia Lara (condenada en 2009), Humberto de Jesús Builes (condenado en 2010) y Mario Uribe Escobar (condenado en 2011). Con un par de excepciones, todos ya pagaron sus cuentas con la justicia.

Mancuso mencionó en Estados Unidos a tres políticos más, incluida Zulema Jattin, quien enfrenta un proceso en la Corte Suprema de Justicia de Colombia, que pasó a la JEP. Los otros dos aún no han sido tocados por la justicia.

Y, para que le calcularan los beneficios por colaboración, el cliente de Pérez aportó un listado adicional de exjefes de las autodefensas. Ese paquete lo encabezan Édwar Cobos, alias 'Diego Vecino'; Emilio Hasbún, alias 'Pedro Bonito'; Rodrigo Pérez Alzate, alias 'Julián Bolívar'; Iván Roberto Duque, alias 'Ernesto Báez' (fallecido); Rodrigo Zapata, alias 'el Negro'; Luis Eduardo Zuluaga, alias 'Magiver', y José Ignacio Roldán, alias 'Monoleche'.

Todos fueron procesados y condenados por la justicia colombiana, y al menos dos de ellos tuvieron encuentros con agentes de la DEA para aclarar varios episodios en los que fueron mencionados por Mancuso, quien incluso se atrevió a hablar de un intocable: José Bayron Piedrahíta, alias 'Simón' o 'Montañero'.

Mucho antes de ser capturado en su lujosa hacienda La Contadora, en Caucasia (Antioquia), y de que lo extraditaran por sobornar a un agente federal para que le borrara sus antecedentes judiciales, Piedrahíta era el jefe de un grupo conocido como los L4, según aseguró Mancuso.

Piedrahíta fue procesado en Miami y deportado a Colombia, el 25 de noviembre de 2019, tras pagar una condena de 27 meses de cárcel por el caso del soborno al agente gringo. Aún tiene pendiente un proceso por lavado de activos en Argentina. Ese proceso terminó implicando al exjugador de la Selección Colombia Mauricio 'el Chicho' Serna y a la viuda y al hijo del capo Pablo Escobar, quienes han negado cualquier responsabilidad penal.

En junio de 2020, el Juzgado Federal N.º 3 de Morón (Argentina) llamó a juicio a nueve personas acusadas de adelantar maniobras vinculadas al lavado de activos provenientes del narcotráfico; allí aparece mencionado Piedrahíta. En Colombia fue condenado por lavado, el 08 de junio de 2022.

Mancuso también dio detalles sobre una reunión que sostuvo en la primera celda que le asignaron en Estados Unidos, con congresistas y defensores de derechos humanos colombianos, la cual, según la agenda del abogado Joaquín Pérez, se produjo el 22 de mayo de 2009, y que muchos aún intentan reconstruir en Colombia.

"Ese día, los congresistas Piedad Córdoba y Rodrigo Lara, en compañía de Iván Cepeda, fueron a reunirse con Mancuso. Piedad llamaba mucho la atención por su forma de vestir y la impresión que me dio era que, si bien ella era la figura, Iván era el cerebro. Aunque él no tenía en ese momento el título de congresista: era vocero de un movimiento de víctimas o algo así. Un grupo de periodistas los estaban esperando afuera de la prisión y ella le dijo a Iván: ¿'Qué tengo que decir?'. Después Piedad me pidió que fuera a su apartamento en Bogotá, bajo el argumento de que consideraba clave unir intereses. Era claro que notó que yo tenía influencia con los jefes 'paras' y con autoridades en Washington, y ella quería entrevistarlos a todos. Pero por esos días me dijeron que ella tenía simpatía con el Gobierno de Venezuela y eso quedó ahí. También recuerdo que me llamó mucho la atención que cuando a Cepeda le pidieron su identificación a la entrada del penal, inicialmente se tardó en entregarla y empezó a alardear sobre quién era él en Colombia".

Mancuso fue quien buscó la reunión con Córdoba y con los demás, bajo el argumento de que no podían permitir que el proceso de verdad, dentro de la jurisdicción de Justicia y Paz, se truncara con la extradición de jefes paramilitares. En ese momento Mancuso cumplía un año de prisión en el Centro Penitenciario de Washington, un viejo edificio de ladrillo a la vista, que data de 1872, y estaba desesperado por el encierro.

A la salida del penal, Córdoba aseguró que existían dificultades de tipo legal y personal para que Mancuso pudiera continuar testificando. Además de trabas en la cooperación judicial, se habló de supuestas amenazas en contra de familiares de los cabecillas de las autodefensas para que guardaran silencio.

Nunca dijeron explícitamente cuáles eran esos obstáculos ni qué fue lo que se habló con el exjefe paramilitar, pero, al final de la reunión, y ante la prohibición de ingreso de grabadoras, los asistentes convinieron unir la información que cada uno tomó en sus libretas y memorias. La idea era elaborar un acta confidencial que sería entregada como constancia a la Comisión Interamericana de Derechos Humanos (CIDH).

El ejercicio se llevó a cabo, pero Rodrigo Lara se negó a firmar el acta argumentando que incluía información con la que él no estuvo de acuerdo.

Iván Cepeda recordó así el episodio: "En ese momento yo no era congresista; iba en representación del Movimiento Nacional de Víctimas de Crímenes de Estado. Por caminos distintos los congresistas Piedad Córdoba, Rodrigo Lara y nosotros llegamos a un mismo punto: que una vez extraditados los jefes paramilitares, una madrugada de mayo de 2008, era necesario rescatar parte de la verdad que ellos se iban a llevar allá. Piedad y Rodrigo crearon una comisión en el Congreso y nosotros, como víctimas, hicimos trámites para visitar a los recién extraditados. También fue un abogado del Colectivo José Alvear Restrepo, y otro de una ONG que se llama Justicia y Paz [...]. El hecho es que fuimos a ver a Mancuso y nos habló largamente sobre cosas muy delicadas que hasta ese momento no había contado en Justicia y Paz. Obviamente nos pidió reserva porque temía mucho por la vida de sus familiares. Nosotros preguntamos si podíamos ingresar algún medio para grabar, pero nos dijeron que no, que la única posibilidad era tomar nota. A la salida de la visita tuvimos una reunión en la que pactamos lo siguiente: que íbamos a levantar un acta que elaboramos con base en lo que cada uno tomó en sus apuntes, que detallaba la conversación, y se la entregamos a la CIDH que tiene sede en Washington. No recuerdo si la recibió directamente el presidente de la Comisión o uno de los comisionados, pero la depositamos en una bóveda y le dimos autorización a la CIDH de que la revele si algo le llegase a pasar a alguno de los visitantes. Ese fue el pacto que hicimos y hasta ahora todos lo hemos cumplido. (...). Rodrigo Lara se negó a firmar el acta. No recuerdo cuál fue la razón, pero estaba relacionada con que no quería comprometerse a firmar un documento de esa naturaleza. Nosotros respetamos su decisión, así como le pedimos a él que respetara la nuestra. La mayoría de las cosas que nos narró Mancuso las dijo después en Justicia y Paz".[43]

---

43 Entrevista de la autora con Iván Cepeda, 21 de mayo de 2018.

En la delegación que visitó a Mancuso estuvieron Eduardo Carreño, del Colectivo de Abogados José Alvear Restrepo; Danilo Rueda, de la Comisión Intereclesial, y el abogado Joaquín Pérez.

Durante años, abogados de Álvaro Uribe han intentado establecer si es cierta la versión de que en esa reunión se le preguntó a Mancuso por supuesta evidencia en contra del exmandatario y de sus hijos, Tomás y Jerónimo, para intentar involucrarlos indebidamente en actos ilegales. Incluso, dentro de la denuncia que interpusieron contra Iván Cepeda, ante la Corte Suprema de Justicia de Colombia, por supuesta compra de testigos, pidieron que Rodrigo Lara fuera indagado sobre las razones que lo llevaron a negarse a suscribir el acta. El caso se cerró a favor de Cepeda, y Lara solo les ha entregado a tres personas de su absoluta confianza la versión completa de lo que él dice que ocurrió.

La multinacional Chiquita Brands fue otro de los objetivos de Mancuso en su colaboración con Estados Unidos.

El narcoparamilitar le dijo a la DEA que a través del puerto de la multinacional californiana ingresaron, el 5 de noviembre de 2001, 14 contenedores con 3.400 fusiles AK-47, M-60 y RPG-7, granadas y 5 millones de cartuchos con destino a las autodefensas, diferentes a las búlgaras de Agredo. El arsenal fue traído en el buque *Otterloo*, que zarpó de México con una carga de balones de caucho, entró a Nicaragua a recoger el armamento y la munición y zarpó hacia Colombia.

Mancuso les dijo a fiscales de Estados Unidos que los contenedores cargados con armas, cartuchos y balones de caucho se descargaron en la bodega de la bananera Chiquita Brands y que esta empresa envió una sofisticada grúa para su movilización. El cargamento fue trasladado luego a las fincas La Rinconada y La Maporita, vinculadas al jefe de las Autodefensas Freddy Rendón Herrera, alias 'el Alemán'.

También habló Mancuso de la salida de droga por el puerto de la multinacional que les pertenecía a él y a los hermanos Manuel y Alberto Agudelo: "Un cargamento de estos, de cerca de 2.000 kilos, salió rumbo a Holanda dentro de plátanos de fibra de vidrio que aparentaban ser iguales a la fruta que estaban exportando. Ese cargamento, que fue decomisado a su llegada, lo coordinó Raúl Hasbún, alias 'Pedro Bonito', comandante del Bloque Bananeros", aseguró Mancuso.[44]

Chiquita Brands International cerró sus operaciones en Colombia tres años después del ingreso de ese arsenal. Y tras varias denuncias de decenas de víctimas de los paramilitares y de la prensa, en 2007 sus directivos admitieron que, "bajo presión", pagaron a paramilitares colombianos 1,7 millones de dólares. La compañía también admitió el pago de jugosas sumas, bajo "coacción", a las guerrillas de las Farc para, supuestamente, proteger

---

44 Memorandum in aid of sentencing departure under USSSG, criminal case 02-388 (2) (ESH). 31 de marzo de 2015.

a sus empleados en el Urabá Antioqueño, una zona de producción bananera que estaba en la mitad del conflicto entre la guerrilla de izquierda y las fuerzas ilegales de derecha, encarnadas en el paramilitarismo. Ninguno de sus ejecutivos se refirió al ingreso de armas en el que se usó su puerto, ni pagó un solo día de cárcel por alimentar la guerra en Colombia, mientras exportaban billones de dólares en banano.

La multinacional, sin embargo, terminó desembolsando una multa de 25 millones de dólares a la justicia de Estados Unidos luego de admitir los pagos a los paramilitares, que equivalían a tres centavos de dólar por cada caja de la fruta que exportaron desde Colombia entre 1997 y 2004.

Un dato sobre ese oscuro nexo apareció en el informe anual de la Corte Penal Internacional (CPI) de 2018, en el que se señala: "En agosto de 2018, la Fiscalía General de la Nación profirió una resolución de acusación contra directivos y empleados de la compañía Chiquita Brands (filiales Colombia C. I. Banadex y C. I. Banacol) por el presunto delito de concierto para delinquir para financiar el frente paramilitar 'Arlex Hurtado', que operaba en las regiones de Urabá y Santa Marta, entre 1996 y 2004".

El 30 de septiembre de 2021, la Sala Penal del Tribunal Superior de Antioquia negó la nulidad del proceso y dejó en firme los juicios que se les adelantan a diez empresarios de esa firma y a sus filiales Colombia C. I. Banadex y C. I. Banacol.

En ese mismo capítulo, y siempre asistido por el abogado Pérez, Mancuso se refirió por primera vez al clan Cifuentes Villa, viejos capos que traficaban cocaína con el cartel de Sinaloa, en México.

Dos años antes de que les abrieran un *indictment* a Jorge Milton y Francisco Cifuentes, los cabecillas de ese clan, Mancuso les reveló a Robert Spelke y a Kevin Schiver —miembros del Departamento de Justicia— que los hermanos eran grandes jugadores en el negocio de las drogas. Además, que uno de sus socios en los envíos a Estados Unidos era Juan Carlos 'el Tuso' Sierra, uno de los narcotraficantes que intentaron posar como jefes de las Autodefensas. Incluso, reveló que los Cifuentes Villa eran dueños de una empresa de aviación que, sin saberlo, la Policía de Antioquia contrataba para sus desplazamientos y operativos contra el crimen.

'El Tuso' fue extraditado y condenado en Estados Unidos, pero la información que entregó le abrió las puertas de la cárcel antes de tiempo y es uno de los exnarcotraficantes colombianos que se quedaron en Miami junto con su familia.

"Mancuso llegó recién casado a Estados Unidos. Su segunda esposa era muy joven, pero lo apoyó fuertemente dentro de su proceso de colaboración. Luego de un tiempo se separaron y Mancuso está ahora con una exmiss Antioquia. No puedo dar detalles de su caso, pero sí le puedo decir que lo que más lo perjudicó en Estados Unidos fueron

las masacres. Fueron más graves que el narcotráfico. Las fosas en el Paramillo le hicieron más daño que los cargamentos de coca que movía por Venezuela a través de varios pilotos, cuyas identidades entregó. El fiscal de su caso pidió una condena de 25 años y 11 meses, pero logré que le rebajaran 10 años y que se le tuviera en cuenta el tiempo cumplido en Colombia [...]. Inicialmente tenía buenas condiciones carcelarias, le permitían tener computador y hasta un asistente para atender los requerimientos de la justicia colombiana [...]. Aunque siempre está anímicamente fuerte, el régimen carcelario desgasta físicamente, y cobra su parte [...]. En mayo de 2017, lo pasaron al 'hueco' y las condiciones de encierro que enfrentó, en una celda sin ventana y totalmente incomunicado, lo estaban afectando. A finales de 2017, logró que fuera trasladado a USP Atlanta, un penitenciario de mediana seguridad en el estado de Georgia, donde terminó de pagar su condena. Hablé con Mancuso para Año Nuevo de 2021, cuando intentaba que no lo enviaran de vuelta a Colombia. Su caso va a tener un desenlace interesante".

A pesar de la confidencialidad con la que Pérez habla de este caso, en documentos oficiales consta que, para sellar su colaboración con la justicia de Estados Unidos, Mancuso certificó la entrega de propiedades que se tasaron en cerca de 50,5 millones de dólares, una cifra que permite dimensionar la fortuna ilegal que movieron los paramilitares.

Según cuentas en poder del Departamento de Justicia, el día que se desmovilizó como jefe del bloque Catatumbo, Mancuso entregó 10 millones de dólares. Y el 17 de diciembre de 2006, cuando rindió su primera versión en la jurisdicción especial de Justicia y Paz, desembolsó 25 millones de dólares más. También anexó una transacción bancaria, de una cuenta entregada a la DEA, por 500.000 dólares.

Esa última consignación la hizo en efectivo en 2009, y de paso dejó al descubierto una red de blanqueadores de dinero que operaba en América Central y América del Sur. Un empresario monteriano, amigo y testaferro de Mancuso, apareció mencionado en este capítulo. La DEA estableció que el efectivo se movía a través de un sujeto conocido como 'Felipe' o 'el Golfista', que nunca fue judicializado y que es otro capítulo pendiente.

Los 15 millones de dólares restantes que Mancuso dice haber entregado los completó a punta de bienes: 264 fincas, 69 casas y locales, 10 lanchas, 45 tractomulas, 11 vehículos y una empresa de helicópteros que fue usada para traficar cocaína.

Nueve aparatos, incluidos dos helicópteros Hughes 500 de color blanco con franjas azules que ya no usaba el Gobierno de Israel, hacían parte de la flotilla.

La existencia de los helicópteros fue revelada el 3 de junio de 2007 por la Unidad Investigativa de *El Tiempo*, luego de que hombres del CTI de la Fiscalía allanaron una bodega en Barranquilla. Allí encontraron los dos Hughes, una lancha rápida, varios repuestos, y a Gerardo Vega, un hombre que dijo ser empleado de Uniapuestas, una compañía de chance vinculada a Enilce López, alias

'La Gata', poderosa empresaria de juegos de suerte y azar condenada por homicidio y concierto para delinquir.

Ese nexo, que parecía ser uno más en la carrera delictiva de Mancuso, se le convirtió en un proceso por lavado de activos que le dañó sus planes de radicarse en Italia después de cumplir su pena en Estados Unidos y en Colombia.

Con 56 años encima y el notorio desgaste físico y mental que deja el estar preso doce años, el viernes 27 de marzo de 2020 Mancuso se despojó del uniforme de presidiario, reclamó sus pertenencias y viajó por tierra desde la cárcel estatal de Valdosta, en el sur de Atlanta, hasta el aeropuerto internacional, para iniciar una nueva vida en Europa.

Pero 45 minutos antes de abordar, cuando en los tableros del puerto aéreo ya estaban llamando a sala, el exjefe paramilitar fue retenido de manera preventiva. A última hora, el Gobierno colombiano intentó enmendar un 'error' de trámite y le pidió a Washington que lo enviara a Bogotá para que fuera procesado por unos casos judiciales pendientes.

La Unidad Investigativa de *El Tiempo* reveló cómo el exjefe de las Autodefensas estaba a punto de usar su pasaporte italiano, aprovechando un trámite equivocado del Gobierno colombiano.[45] La información desató un escándalo y un pulso judicial con tintes políticos.

---

45 "Colombia cometió error en solicitud de extradición de Mancuso", *El Tiempo*, 5 de agosto de 2020.

Mancuso acudió de nuevo a Pérez y a una abogada experta en temas migratorios e inició una batalla judicial para que al menos lo dejaran viviendo en Estados Unidos. Argumentó ante jueces federales y administrativos que ya había pagado sus deudas con la justicia y que corría peligro de muerte si regresaba a Colombia.

En la otra esquina, el gobierno de Iván Duque movió hilos diplomáticos y judiciales para que el exnarcoparamilitar le fuera entregado a la justicia colombiana y pasara una nueva temporada en prisión por los cientos de crímenes que ordenó y cometió.

Pérez asegura que el entonces embajador de Colombia en ese país, Francisco Santos Calderón, se puso en contacto directamente con Mike Pompeo, secretario de Estado de Donald Trump, para evitar que Mancuso viajara a Europa.

Pérez aceptó participar en la batalla final por uno de sus más antiguos clientes, y, a la vez, Mancuso empezó a enviar cartas y mensajes a Colombia diciendo que aún tenía mucho que contar sobre los nexos entre el narcoparamilitarismo, la política y el empresariado, incluido lo que realmente ocurrió en la reunión que sostuvo con Piedad Córdoba, Iván Cepeda y Rodrigo Lara.

"Parte de esta información ya se la entregué a fiscales de Justicia y Paz, pero nunca investigaron nada", aseguró Mancuso cuando le preguntaron por algunos reputados empresarios y políticos, inquietos por su regreso al país.[46]

---

46 Comunicación telefónica con la autora, 2 de febrero de 2020.

Pérez impugnó la solicitud de extradición del Gobierno de Colombia bajo el argumento de que Mancuso ya había sido procesado por los delitos por los que se le requería. Y la Corte Suprema del Distrito Federal de Georgia le dio la razón. Sin embargo, luego se distanció de esa batalla jurídica que Mancuso sigue librando.

"A pesar de haber pagado sentencia en Estados Unidos, Mancuso fue convertido en una especie de 'rehén político' por el Gobierno de Colombia. Buscan volverlo a encarcelar y pasarle una especie de cuenta de cobro por la información que entregó en contra de muchos políticos".

Uno de los documentos que Mancuso exhibió para evitar su expulsión, deportación o extradición a Colombia fue una carta del Departamento de Justicia de Estados Unidos, en la que consta que le otorgaron una sustancial rebaja por haber completado más de sesenta días entregando declaraciones ante fiscales y magistrados colombianos. Según el documento, que Pérez gestionó para que su cliente obtuviera beneficios, en esas sesiones se suministró información sobre masacres, nexos de congresistas con el paramilitarismo, desplazamientos forzados, secuestros, crímenes selectivos y alianzas con agentes del Estado, entre otros delitos de su organización.

La estrategia de colaboración permitió que Ellen S. Huvelle, jueza de un tribunal del Distrito de Columbia, le aprobara la rebaja tras siete años de negociación: de los 25 años que le esperaban al cliente de Pérez, le impusieron 15 años y 10 meses, que incluyó el tiempo que estuvo detenido en Colombia.

Todos los que pronosticaron que a Mancuso le iban a imponer una condena más severa —entre ellos su anterior abogado, Richard Díaz— se equivocaron.

Pérez llegó a la Corte del Distrito de Columbia el 1.° de julio de 2015, con uno de sus trajes de diseñador y un cartapacio para presentar a Salvatore Mancuso Gómez ante la juez Huvelle y escuchar la sentencia.

Con el uniforme caqui de presidiario y la cabeza rapada, Mancuso se puso de pie, se tocó el pecho con su barbilla e imploró clemencia. Eran las 3:30 de la tarde de un martes. Juró que estaba arrepentido por los cientos de muertos que carga encima y recordó que ya llevaba siete años preso, aislado y en profunda reflexión.

Con un tono menos vehemente del que usó cuando dijo que él era el Estado casi absoluto en Sucre, los Santanderes, Córdoba y parte de Antioquia, le manifestó a la juez que quería abrazar de nuevo a su familia y volver pronto a su terruño: Montería.

El otrora líder de las autodefensas estaba algo encorvado, bajo de peso y con la piel pálida debido a las pocas horas de sol que tomaba en prisión.

La cuenta de cobro que el severo sistema carcelario le pasó también consta en documentos federales. Allí están las quejas y peticiones que tramitó y que evidencian el deterioro físico y mental que sufrió.

A pesar de la condena benévola que Pérez logró para su cliente, en documentos que reposan en el Bureau de Prisiones de Estados Unidos queda la evidencia de los efectos del castigo que recibió.

Después de amasar una jugosa fortuna ilegal, Mancuso fue confinado inicialmente en la unidad L de la Northern Neck Regional Jail, donde la temperatura alcanza los 33 grados centígrados a mediados de julio.

Allí empezó por reclamar que la *tablet* marca Assus que compró por cuotas le fallaba con frecuencia, al igual que el viejo aire acondicionado.

"No puedo dormir. El aire [acondicionado] se apaga a cada momento, especialmente en la noche y a veces hasta empieza a salir caliente y el calor es insoportable. No pido que me cambien de unidad, porque esta es buena: tiene escaleras donde puedo hacer ejercicio y tiene ventanas pequeñas que me permiten ver el exterior y eso al menos es relajante [...]. Pero es una unidad con 60 personas que se están moviendo a toda hora y se vuelve húmeda y extremadamente caliente", le escribió Mancuso, a mediados de 2010, al mayor superintendente Ted Hull, jefe de la cárcel.

A esa misma cárcel, una de las más estrictas, fue enviado, en marzo de 2019, Paul Manafort, exasesor de la primera campaña presidencial de Donald Trump, por fraude fiscal y bancario, vinculado a una asesoría oculta que prestó a políticos ucranianos; y por lavado de dinero y obstrucción a la justicia.

Las quejas fueron subiendo de nivel y de complejidad cuando golpearon su salud. Mancuso salió de Colombia extraditado con un régimen alimenticio y un tratamiento médico especiales, que las autoridades carcelarias locales permiten, incluso con médicos externos; pero en Estados Unidos las cosas son distintas, y así quedó claro en otra carta de aquel entonces.

"La situación de salud de Salvatore se ha venido deteriorando luego de estar más de 27 meses en la prisión de Northern Neck Regional Jail [...]. Solicitó realizarse exámenes de sangre para verificar sus problemas de hiperlipidemia (niveles elevados de grasa en la sangre), pero se cansó de mandar requerimientos para ello y nunca se los practicaron. Solo en algunas ocasiones lo revisó una enfermera y en otra ocasión un médico general [...]. Hace unos meses empezó a padecer dolores de cabeza de los que antes jamás en su vida había padecido. Él piensa que pueden ser varias las razones: los niveles elevados de grasa en la sangre o la gran cantidad de horas que debe leer, estudiando documentos [...]. Empezó a padecer problemas de vista porque siempre está en un lugar cerrado con luz artificial, sin por dónde mirar el horizonte para por lo menos entrenar la vista mirando lejos o recibir rayos del sol, el que solo tiene oportunidad de tomar en algunas ocasiones, una vez a la semana por una hora [...]. Ahora solo puede leer un poco por el ojo derecho ya que por el izquierdo casi no ve nada y en esa prisión no se practican esos exámenes. Solo le dicen: 'Pruébese estas gafas a ver con cuál ve mejor'; cosa que es una irresponsabilidad muy grande [...]. También en meses pasados se le fracturó la calza de una muela y se le partió un diente y lo único que le colocaron fue una cura temporal en la muela, ni siquiera una calza y al diente no le hicieron nada y la excusa que dieron es que es una cárcel de tránsito y ahí no prestan el servicio profesional definitivo para ello... y al diente no le hicieron nada", escribió, el 12 de enero de 2012, una de las asesoras legales de su defensa.

Las quejas de salud de Mancuso, mientras pagaba su condena, obligaron incluso al abogado Joaquín Pérez a pedirle al superintendente Hull que, como acto humanitario, le permitiera llevar a su odontólogo de confianza para que atendiera a su cliente:

> *"Lógicamente, yo me hago responsable de mi odontólogo y de los honorarios y gastos a que haya lugar para que alivie las dolencias de mi cliente"*, [le escribió Pérez a Hull, según consta en archivos del Bureau de Prisiones].

La defensa de Mancuso tuvo que volver a intervenir a finales de 2017. Esta vez, en carta a la Corte Suprema de Justicia de Colombia, el propio exnarcoparamilitar admitió que estaba afectado no solo física, sino mentalmente, y que había perdido cerca de 30 libras de peso debido a las condiciones del encierro.

Quince días después, logró ser reubicado en un ala de la USP Atlanta.

Uno de los otrora mejores amigos de Mancuso, también cliente de Joaquín Pérez, tuvo condiciones similares durante su encierro: Rodrigo Tovar Pupo, alias 'Jorge 40' o 'el Papa'. Fue sindicado de cometer al menos cinco masacres paramilitares: Bahía Portete (2004), Villanueva (1998), Dibulla (2006), Monguí, Cesar (2005) y Playón de Orozco (1999), en las que sus hombres asesinaron a más de una treintena de personas. También se le atribuye su participación en la masacre de El Salado (2000), en la que murieron más de sesenta campesinos: 'Jorge 40' atribuyó todos estos crímenes a su 'lucha patriótica' en contra de las guerrillas de las Farc y del ELN.

La génesis de 'Jorge 40' en las Autodefensas se remonta a mediados de los noventa, luego de intentar convertirse en militar. Con su enlistamiento en el Ejército su familia buscaba que siguiera los pasos de su padre, pero también era un intento por aconductarlo. Sin embargo, no pasó ni lo uno ni lo otro y terminó consiguiéndoles armas a los paramilitares para que, inicialmente, cuidaran las haciendas de su familia y de sus vecinos. Así conoció a Mancuso, quien, a mediados de 1999, lo nombró comandante del bloque Norte de las Autodefensas.

"El Gobierno erróneamente sugiere que Rodrigo Tovar Pupo trabajó bajo la supervisión de Mancuso. Pero Tovar Pupo se había convertido en una fuerza política independiente y poderosa en el norte de Colombia, incluido el departamento de Cesar, de donde es oriundo. A pesar de que tenían una gran amistad, Mancuso estaba dispuesto a declarar contra Tovar Pupo y era el único testigo que podía

implicarlo en transacciones directas que involucraban la distribución de cocaína", [les escribió Pérez a los fiscales y al juez que llevaron el proceso contra Mancuso[47]].

De hecho, en su prontuario consta que, debido a su rebeldía, 'Jorge 40' fue el último jefe paramilitar en desmovilizarse, y se negó a colaborar en el esclarecimiento de los crímenes de su organización, razón por la cual fue expulsado de la jurisdicción especial de Justicia y Paz y perdió todos los beneficios legales, incluido el de pagar todos sus crímenes con solo ocho años de cárcel.

Su abogado en Colombia en ese momento, Hernando Bocanegra, salió a explicar esa actitud y dijo que, poco después de su extradición a Estados Unidos, 'Jorge 40' recibió un 'mensaje' para que no hablara: le asesinaron al único hermano que le quedaba vivo: Sergio Tovar Pupo.

También argumentó que el silencio de su cliente era una manera de protestar por las injustas acusaciones de narcotráfico que le estaban haciendo en la Corte del Distrito de Columbia: varios testimonios señalaban que había participado en el tráfico de cocaína.

El 30 de junio de 2011, 'Jorge 40' se presentó ante un juez y aceptó cargos.

Juez: ¿Alguien ha amenazado o forzado a utilizar esta declaración de culpabilidad?

'Jorge 40': No, su señoría.

---

47 Memorandum in aid of sentencing departure under USSSG, criminal case 02v-388 (2) (ESH). 31 de marzo de 2015.

Juez: ¿Y está totalmente satisfecho con la representación legal que sus abogados le vienen proporcionando a usted?

'Jorge 40': Eso es correcto, su señoría.

Juez: ¿Tiene alguna queja que quiera hacer en este momento con respecto a la calidad de la representación que sus abogados le han brindado?

'Jorge 40': No, su señoría, ninguna.

Juez: ¿Y ha tenido la oportunidad de discutir completamente este caso con sus abogados?

'Jorge 40': Sí, su señoría.

Juez: ¿Y quién tomó la decisión de declararse culpable, usted o su abogado?

'Jorge 40': No, la decisión es mía, su señoría.

Juez: Y sabiendo lo que sabe sobre el caso, ¿cree que el Gobierno podría probar que es culpable si este caso tuviera que ir a juicio?

'Jorge 40': Sí, su señoría.

Juez: ¿Y cree que le conviene declararse culpable?

'Jorge 40': Sí, su señoría.

Juez: ¿Hay alguna otra razón por la que se declarará culpable que no sea porque es, de hecho, culpable del crimen del que se declarará culpable?

'Jorge 40': No, su señoría. Quiero asumir toda la responsabilidad por el crimen que cometí ante el pueblo estadounidense y su sistema de justicia.

Tras ese episodio, 'Jorge 40' le obsequió un libro a Pérez con una dedicatoria de su puño y letra que solo unos pocos conocen: "Es un honor que se me permite el firmarle este libro al *more big Master of the negotation judicial in America*, Dios permita que en algún momento también me pueda considerar su amigo: Rodrigo Tovar P. (Ver inserto de imágenes y anexos).

Pero, en un episodio atípico, 'Jorge 40' pidió que el abogado Joaquín Pérez retirara el acta de culpabilidad que había firmado. La justicia de Estados Unidos le negó la petición y le recordó a 'Jorge 40' que había copiosa evidencia de que, para financiar su guerra antisubversiva, implementó una red extorsiva que él bautizó "política de cobro de impuestos", que les aplicaba a todos los participantes en la producción de cocaína y en el proceso de distribución.

Según su *indictment*, el bloque Norte bajo su mando, en asocio con el Frente de Resistencia Tayrona, fue utilizado por otros individuos para "procesar, fabricar y transportar cocaína a lo largo de las playas de la costa norte de Colombia, donde luego se enviaría a destinos en el Caribe, América Central, México y Estados Unidos". Es más, se le recordó que él les impuso a los traficantes de droga enviar numerosos cargamentos destinados a Estados Unidos y les daba protección.[48]

La misma decisión señala que 'Jorge 40', de manera libre y voluntaria, mantuvo como defensor a Joaquín Pérez, a pesar de que este también representaba a Salvatore

---

48 United States District Court for the District of Columbia, Criminal Action 04-114-9 (RBW), 20 de noviembre de 2014. United States vs. Rodrigo Tovar Pupo.

Mancuso y a Hugues Rodríguez, el llamado comandante 'Barbie'. Por eso, se descartó el conflicto de intereses planteado por el exparamilitar.

Mancuso colaboró con la justicia de Estados Unidos en varios procesos y estaba listo a declarar en ese caso, si 'Jorge 40' decidía ir a juicio.

El 18 de noviembre de 2014 fue negada la solicitud de 'Jorge 40' de retirar su declaración de culpabilidad, y un año después fue condenado como partícipe en una conspiración para traficar varias toneladas de cocaína hacia Estados Unidos.

Paul Laymon, fiscal del caso, pidió que lo condenaran a treinta años de cárcel, tras compararlo con capos de la droga como 'Don Berna', 'Macaco' y 'Cuco Vanoy', todos extraditados, pero recibió una sustancial rebaja, luego de que su defensa insistiera en que no era narcotraficante y de que el juez George Walton conceptuara que el dinero de la mafia que 'Jorge 40' recibió era para apoyar su lucha antisubversiva.

"No tengo dudas de que lo hizo para pelear contra un enemigo [las guerrillas] que usted pensaba que eran una amenaza para su país y que su rol en esta conspiración no fue la de un productor o un distribuidor, pero lo que usted hizo es serio porque destruyó la vida de otros así pensara que estaba salvando a los suyos", anotó el juez Walton.

Entre los argumentos de la defensa de 'Jorge 40', se pidió tener como pauta para tasar su condena el caso de Mancuso, su supuesto jefe. En efecto, el juez acogió el argumento y 'Jorge 40' terminó beneficiándose de la sentencia que Pérez consiguió para Mancuso.

Pagó 16 años y 6 meses de prisión, que completó en la correccional de baja seguridad FCI Allenwood Low. Recobró su libertad el 9 de abril de 2020 y regresó a Colombia, donde lo esperaban varias sentencias vigentes.

La primera, a diecinueve años de prisión por el crimen del líder sindical Ricardo Orozco Serrano, ejecutado el 2 de abril de 2001 en el municipio de Soledad (Atlántico); la segunda, también a diecinueve años de cárcel, por ordenar la ejecución del sociólogo y sindicalista Adán Alberto Pacheco, ocurrida el 2 de mayo de 2005, en Barranquilla; y otra, a veintitrés años, por el crimen de Elías Enrique Durán Rico, presidente del sindicato de Metrotránsito, que murió el 5 de mayo de 2004 en el municipio de Baranoa (Atlántico). Las tres restantes están relacionadas con los crímenes del profesor Alfredo Correa de Andreis y de su escolta Edelberto Ochoa Martínez, en Barranquilla; por la desaparición de investigadores de la Fiscalía del Cesar; y por el homicidio de Valmore Locarno Rodríguez y Víctor Hugo Orcasita Amaya, miembros del sindicato de trabajadores de la multinacional Drummond.

"Durante el curso del proceso, 'Jorge 40' tuvo un comportamiento errático, aceptando su culpabilidad y luego retirándola. Tovar Pupo se describió a sí mismo como un patriota dedicado a recaudar impuestos de guerra para financiar lo que él califica como su lucha contra la guerrilla".

Una veintena de miembros de un grupo especial de la Policía, tipo comando, estaba esperando a 'Jorge 40', el lunes 28 de septiembre de 2020, luego de que el Servicio de Inmigración y Control de Aduanas (ICE) notificara que el exparamilitar llegaba en un vuelo con 84 deportados.

"Necesito comunicarme con mi familia y que protejan mi vida", les dijo 'Jorge 40' (con 70 años encima y una tula con ropa) a los agentes de Migración Colombia, quienes le permitieron llamar a su casa, en una corta comunicación que siempre tuvo el altavoz.

Desde antes de su aterrizaje, y luego de purgar una condena de más de doce años, los abogados de 'Jorge 40' empezaron a buscar mecanismos legales para que fuera aceptado ante la JEP. Tras un primer portazo judicial, su defensa ganó una acción de tutela, en mayo de 2021, que ordenó devolver su expediente a una primera instancia para que se estudie su sometimiento ante esa jurisdicción.

Inicialmente, la JEP aseguró que los crímenes cometidos por 'Jorge 40' durante su militancia en el paramilitarismo no son de su competencia, pero sus abogados siguen librando una batalla para que sea aceptado y, finalmente, aporte su cuota de verdad, justicia y reparación, de cara a las víctimas.

El caso de 'Jorge 40' llegó a la oficina de Joaquín Pérez a través de un hacendado colombiano llamado Hugues Rodríguez.

"*Hugues es enigmático, gris, extremadamente inteligente y rico de cuna. Mientras estuvo en Estados Unidos, representantes de la carbonera Drummond lo buscaron a él y a su familia para comprarles parte de las tierras vecinas donde explotan una gigantesca mina de carbón en Colombia. Yo lo representé y no pagó un solo día de cárcel. Es uno de los logros más grandes que he tenido, pero no voy a hablar de ese caso [...]. Solo te puedo decir que el mejor distrito para llegar a un acuerdo es Nueva York. Los peores y más duros son el Distrito Norte de Texas y Tampa. Por lo general, en los 94 distritos judiciales que tiene Estados Unidos, rigen unas pautas de sentencias que varían solo si la persona coopera: mi especialidad. Claro está que también depende del juez, del agente, el fiscal que te corresponda y la suerte que tengas. Debo decir que lo que más cambió el curso de la vida de Hugues fue el secuestro de su querida hermana, vilmente retenida por las Farc. A pesar de que la familia pagó un jugoso rescate para su liberación, los guerrilleros se burlaron de ellos, se quedaron con el dinero y la ejecutaron. Ese episodio es sintomático del problema que arrastró a personas de buena familia y cuna a involucrarse en las actividades de las autodefensas. En este caso no era un lucro personal, sino un deseo de hacer justicia por su propia mano contra aquellos que mataron a su hermana y trataron de despojarlo de sus bienes. Esa es parte de la gran tragedia que vivieron algunas personas en Colombia durante ese periodo del conflicto*".

En los archivos de la Corte del Distrito de Columbia consta que Pérez representó a Hugues Manuel Rodríguez Fuentes, alias 'Comandante Barbie', dentro de un proceso que se le siguió por narcotráfico y lavado de activos, conductas ilícitas realizadas desde 2004. En el expediente aparece mencionado su amigo de infancia 'Jorge 40', con quien militó en las autodefensas del departamento del Cesar.

Hugues narró en Estados Unidos que se inició como ganadero, y luego de que su hermana Margarita fue secuestrada y asesinada por el Frente 6 de Diciembre del Ejército de Liberación Nacional (ELN), conformó la convivir Salguero Ltda. Según investigaciones adelantadas por agentes del CTI de la Fiscalía, mutó a paramilitar.

Algunas de sus conductas le valieron una condena de nueve años de cárcel en Colombia por concierto para delinquir agravado, promoción de grupos paramilitares y falsedad documental. Antes de que lo capturaran, salió de Colombia por Venezuela, viajó a Curazao y luego a Washington, para arreglar sus cuentas pendientes con la justicia de Estados Unidos.

El 20 de junio de 2008, con un traje azul claro y el apoyo de varios de sus primos, se presentó ante una Corte en Washington con el discurso de que era una víctima de la guerrilla y de los paramilitares.

Con esa postura jurídica intentó quedar en libertad bajo fianza mientras era llamado a juicio. Para que le aprobaran esa dispensa judicial, dos de sus parientes, Clara y Gabriel, pusieron a disposición de la Fiscalía dos magníficas propiedades en College Park (Maryland) 20740 y en el Greenbelt 20770, avaluadas en más de 800.000 dólares. Pero el juez no aceptó la pignoración de los inmuebles, argumentando que era evidente que en su caso había riesgo de fuga.

Y aquí entró a jugar el abogado Pérez.

En una maniobra judicial, que desconcertó a quienes conocían el prontuario de su nuevo cliente, Pérez logró que el juez Reggie Walton le aprobara un juicio rápido. Incluso, se le otorgó libertad inmediata bajo vigilancia, con el compromiso de que testificaría en los juicios en los que fuera requerido. Pero no fue necesario.

El 22 de julio de 2010, sin mayores explicaciones, los cargos contra Hugues Rodríguez fueron retirados, aunque se le canceló el visado provisional que le había permitido vivir hasta ese momento en un apartamento de 90 metros cuadrados, en Maryland.

Hoy Hugues vive en Colombia, sin ninguna restricción.

CONEXIÓN CARACAS

'Catalino' era uno de los traficantes más duros que operaban en la frontera colombo-venezolana. Pérez prefiere no revelar su nombre por razones de seguridad.

Agentes de la DEA le seguían la pista desde 2004, seguros de que el colombiano les podía ayudar a identificar las fichas de las dictaduras de Hugo Chávez y de Nicolás Maduro involucradas en el negocio del narcotráfico.

Con las evidencias que pudieron recopilar agentes de la DEA, entre ellas varias fotografías del colombiano y de los doce cómplices que conformaban la organización criminal, 'Catalino' fue acusado (en 2010) de sacar desde Colombia y Venezuela varios cargamentos de cocaína hacia Estados Unidos.

Según los fiscales, la banda les pagó a pilotos estadounidenses para volar hasta el estado de Apure, cerca de la frontera con Colombia, donde recogían la droga que en ocasiones arrojaban en las costas de Islas Vírgenes Británicas.

'Catalino' fue identificado como el líder de la organización, pero en ese momento se le dio el estatus de narcotraficante fugitivo, porque nadie daba razón de su paradero.

La Corte de Distrito en Boston empezó a avanzar rápidamente en su caso, a pesar de que también era requerido por el Distrito Sur de Florida y el Distrito de Puerto Rico. El proceso iba por buen camino, pero la persecución contra el capo, exmiembro de la fuerza pública colombiana, se frenó.

Desde Colombia llegó la noticia de que su cédula de ciudadanía había sido dada de baja en la Registraduría de Colombia, lo que significaba que había muerto.

Pero los cargamentos a su nombre seguían llegando, lo que inquietó a los agentes de la DEA, que terminaron por descubrir que el hábil capo colombiano había 'reencarnado' en un ciudadano venezolano.

Con esa falsa identidad, y seguro de que no iba a ser descubierto, se fue a vivir a sus anchas a Cuenca (Ecuador) y siguió traficando cocaína por el Pacífico colombiano como si nada.

Su carrera criminal se terminó sorpresivamente a mediados de septiembre de 2011. Mientras negociaba pasta de coca en la frontera con Ecuador, 'Catalino' fue capturado, deportado a Colombia y luego extraditado a Estados Unidos.

El abogado Joaquín Pérez accedió a volar hasta Massachusetts y, tras un par de reuniones con el capo, arregló los detalles para que su nuevo cliente se presentara voluntariamente ante la jueza de distrito Marcia G. Cooke.

Ese día, por medio de un traductor, 'Catalino' se declaró culpable. Automáticamente se convirtió en uno de los más importantes testigos contra la red de narcotráfico que opera desde Venezuela, que incluye a miembros del Gobierno de ese país, al ELN y a cabecillas de las ahora ex-Farc.

> *"La mayoría de los traficantes de alta gama colombianos se trasladaron a Venezuela, y aunque allá no se produce una sola hoja de coca, las agencias antidrogas de Estados Unidos estiman que la mitad de la droga que produce Colombia se mueve por territorio de su vecino. De nuevo, no puedo dar detalles, pero le puedo decir que el nivel de filtración del narcotráfico en el alto Gobierno venezolano es impresionante. Se explica entonces una parte de la crisis que atraviesan: civiles muriendo de hambre y otros que se hicieron ricos operando con militares que ahora también son millonarios, gracias al negocio del narcotráfico".*

Pérez no habla del arreglo al que llegó en este caso, pero la mafia y el Gobierno de Venezuela saben que a través de 'Catalino' se abrieron o impulsaron varios de los expedientes contra funcionarios del gobierno bolivariano involucrados en gigantescas operaciones de narcotráfico y de lavado de activos, incluido el segundo hombre fuerte de Venezuela, Diosdado Cabello.

Su cliente empezó por asegurar que el Servicio Bolivariano de Inteligencia (Sebin) protege a varios narcotraficantes y procedió a entregar nombres, rutas y contactos con el régimen. Según dijo, el narcotraficante

Mario Moreno Lozano era uno de los protegidos y su contacto con Caracas era el general Miguel Rodríguez Torres, exministro del Interior de Nicolás Maduro, gobierno que ha negado sistemáticamente esa vinculación.

Su testimonio, junto con otra evidencia en manos de la DEA, convirtió al oficial Rodríguez Torres en uno de los más altos dignatarios del chavismo con un *indictment* abierto en Estados Unidos por narcotráfico.

'Catalino' también se refirió en sus testimonios al poderoso general Hugo Carvajal, exdirector de Contrainteligencia de Chávez y luego de Maduro, que intentó negociar con la DEA cuando huyó a Madrid y que ahora, tras su recaptura, ha ofrecido hablar de pago de sobornos a importantes políticos. Incluso, dice que tiene cómo probar que, con dinero del saqueo a las arcas venezolanas, se tejió un calculado plan para esparcir el germen del castrochavismo, subsidiando a figuras de la izquierda en Colombia, Bolivia, Brasil, Argentina, Italia, Honduras, Paraguay y España.

El cliente de Pérez aseguró que el círculo más íntimo del exgeneral Carvajal, conocido en la mafia con el alias de 'el Pollo', mantenía nexos permanentes con un grupo de capos al servicio de la guerrilla de las Farc.

Habló específicamente de dos bandos: el de los hermanos Fernández Barrero, conocidos como Los Gorditos; y el Clan de los Ríos. Y a la lista le agregó dos mafiosos más: Dídier Díaz Galindo y Yesid Ríos Suárez. La información fue corroborada en su totalidad, y Ríos Suárez ya fue condenado, en julio de 2015, a 54 años de prisión, que terminará de pagar cuando cumpla 104 años. En Colombia tanto Ríos como Díaz también fueron condenados.

La información que el cliente de Pérez suministró fue tan específica que sirvió para que se encausara en una corte de Miami a Pedro Luis Martín Olivares, un militar retirado, exjefe de inteligencia financiera de la policía secreta de Venezuela y mano derecha del entonces general Hugo Carvajal, por quien el Gobierno de Estados Unidos ofrecía 10 millones de dólares de recompensa, al igual que por Nicolás Maduro y otras trece personas vinculadas al cartel de los Soles.

A Martín Olivares, desconocido para muchos, lo identificó como 'el Hombre de los Impuestos'. Según dijo, era conocido entre los mafiosos colombianos como el enlace con el alto gobierno, para que salieran despachos de droga por vía aérea hacia Centroamérica y Europa, a cambio de un jugoso pago o 'impuesto'.

'Catalino' accedió, además, a identificar a 200 personas vinculadas al tráfico de estupefacientes y al lavado de activos, algunas de ellas al servicio de las Farc. Entre los nombres que el cliente de Pérez les entregó a agentes antimafia de Estados Unidos, Reino Unido, Islas Vírgenes Británicas, Antillas Holandesas y Aruba está Dante Tagliaventi.

Tagliaventi fue acusado y condenado en 2015 por conspiración para importar cocaína a Estados Unidos y sentenciado a 87 meses de prisión.

Para probar que estaba diciendo la verdad, 'Catalino' accedió a mover sus contactos desde prisión para sacar una avioneta con 330 kilos de cocaína, por el estado de Apure, con destino a la isla Antigua. El aparato lo piloteó el colombiano Sebastián Sánchez, y la entrega fue controlada por agentes de la DEA que comprobaron que 'Catalino' les estaba suministrando información real.

A cambio de su colaboración, Pérez logró que el mafioso fuera enviado a una cárcel federal de mediana seguridad en Miami, con fecha de salida estimada para el 3 de agosto de 2028. Ya está en libertad.

Agentes federales también han visto con complacencia que varios de los datos suministrados por clientes del abogado Pérez empezaron a encajar con el testimonio de otro entusiasta colaborador: Marlon Marín Marín, alias 'el Flaco', sobrino del segundo hombre más importante en la estructura de la exguerrilla de las Farc, Luciano Marín, alias 'Iván Márquez'.

'El Flaco', un falso abogado con fama de vividor y estafador, es testigo protegido de la DEA dentro de un expediente por tráfico de narcóticos de carteles mexicanos, que involucra a funcionarios del régimen de Nicolás Maduro y, al menos, a uno de los jefes de la exguerrilla de las Farc.

Agentes de la DEA grabaron a Marín y a 'Jesús Santrich' negociando lo que sería un cargamento de diez toneladas de cocaína con emisarios del cartel de Sinaloa.

La revelación se hizo el 10 de abril de 2018, y, once días después, Marín salió en un vuelo de la DEA rumbo a Nueva York, con la orden de extradición en su contra anulada y con el título de testigo protegido.

En una declaración bajo juramento, Marín aseguró que viajó varias veces a Venezuela y a Cuba y estuvo presente en reuniones con uno de los hombres fuertes del régimen de Maduro: Diosdado Cabello. Además, dijo que conocía a varios miembros del llamado cartel de los Soles.

Cuando la DEA le preguntó por narcotraficantes colados en la lista de guerrilleros desmovilizados —pista que un cliente de Pérez le entregó al Gobierno de Estados Unidos— salió a relucir el nombre de Segundo Villota, mencionado por el ahora difunto 'Jesús Santrich'.

También aparecieron el mexicano Irineo Romero Sánchez, de 31 años, negociador de cocaína en Colombia para los carteles de Sinaloa y de Los Zetas, y Édison Washington Prado Alava, capo ecuatoriano que fue capturado junto con lugartenientes de esa misma nacionalidad: Leonardo Adrián Vera Calderón y Luis Alejandro Ortiz Benavides.

La extradición de Romero Sánchez fue firmada por el presidente Iván Duque en agosto de 2018, y en septiembre de 2020, la JEP le dio vía libre a la extradición de Segundo Villota, solicitado por cortes federales de Florida y Texas por narcotráfico.

En cuanto a Édison Washington Prado, permanece en una celda de Miami tras ser extraditado desde Colombia en julio de 2018, y ese mismo año fue extraditado a Estados Unidos Leonardo Adrián Vera Calderón. Un año después, el turno fue para Luis Alejandro Ortiz Benavides.

★ ★ ★

'Catalino' no fue el único cliente de Pérez en entregar información relevante sobre el tráfico de estupefacientes por Venezuela. En 2008, Salvatore Mancuso contactó a Gerson y a Orlando Álvarez Dueñas para convencerlos de que cooperaran con el Gobierno de Estados Unidos.

Los hermanos habían sido designados por la DEA como una "meta de organización prioritaria consolidada" (un blanco de alto valor), por sus actividades de narcotráfico a gran escala con la complicidad de altos funcionarios del régimen que Hugo Chávez le heredó a Nicolás Maduro en Venezuela.

Según expedientes de la DEA, procesaron grandes cantidades de cocaína para las Farc y para las AUC, que movieron por Venezuela gracias a sus contactos con las autoridades de ese país, incluidos miembros de las Fuerzas Armadas.

Agentes antimafia sabían que los hermanos Álvarez Dueñas controlaban Apure, desde donde se originaban los envíos hacia Estados Unidos. La ayuda de Mancuso resultó clave y conveniente para desarticular esa estructura mafiosa; así está consignado en memorandos en poder de la DEA y del Departamento de Justicia que Pérez ya incineró:

"La información del Sr. Mancuso fue crucial en la acusación contra los hermanos Álvarez Dueñas.

Además, brindó testimonio que los vincula con otro objetivo prioritario de la DEA: Fabio Enrique Ochoa Vasco. Gracias a ello, en conjunto con otros narcotraficantes que operaban en Venezuela, los hermanos Álvarez Dueñas brindaron testimonio e información que condujo a investigaciones contra altos funcionarios de Venezuela. Ya en 2008, el Sr. Mancuso se dirigió a los hermanos Álvarez Dueñas para persuadirlos a cooperar con el gobierno de Estados Unidos [...]. El Sr. Mancuso presentó pruebas documentales, evidencia de transacciones financieras que vinculan a los hermanos con la organización de Ochoa Vasco. Más específicamente, estos libros financieros muestran que estas dos organizaciones intercambiaron más de 40.000 kilos y más de 80 millones de dólares durante el período que operaron en la frontera entre Colombia y Venezuela. Por lo tanto, la asistencia del señor Mancuso no se limitó únicamente a los testimonios, sino que también proporcionó apoyo documental, incluidos los libros financieros, corroborando su testimonio. Estos hermanos enviaron a Mancuso una declaración jurada el 1.° de enero de 2009, en la que indicaron su voluntad de rendirse, proporcionar cooperación y entregar activos sustanciales al gobierno de Estados Unidos. Esta declaración jurada fue remitida por el Sr. Mancuso a la DEA dos años antes de su entrega a Estados Unidos".[49]

---

49 Memorandum in aid of sentencing departure under USSSG, criminal case 02-388 (2) (ESH). 31 de marzo de 2015.

"Algunos de mis clientes han colaborado en muchos casos de trascendencia internacional, incluso han confesado que han matado a más de 200 personas, e igual los he representado. Acá lo que importa es la información que entregues. Estados Unidos no tiene jurisdicción para investigar los crímenes que hayas cometido en Colombia, y allá a ustedes no les interesa. Están muy contentos con que nos traigamos a estas personas [...]. Así funcionan las cosas. Pero no hay que perder de vista que parte de este problema lo crea el consumo en Estados Unidos y Europa: los narcos no mandan droga para matar a nadie, ellos mandan droga para venderla. Sin embargo, resulta más fácil echarles la culpa a los países más pobres —que la producen y la exportan—, cuando en realidad el problema está en Estados Unidos y en Europa, los mercados principales para el narcotráfico. Alguna vez el presidente dominicano Leonel Fernández me aseguró que es muy difícil pelear contra las mafias del narcotráfico porque mientras un policía en ese país gana mil dólares al año, un capo le puede ofrecer 20.000 dólares en un día. Por eso te puedo asegurar que este negocio va a seguir, como sucedió con el negocio del alcohol en los años de la Prohibición. La idea de que se va a erradicar el narcotráfico es una ilusión".

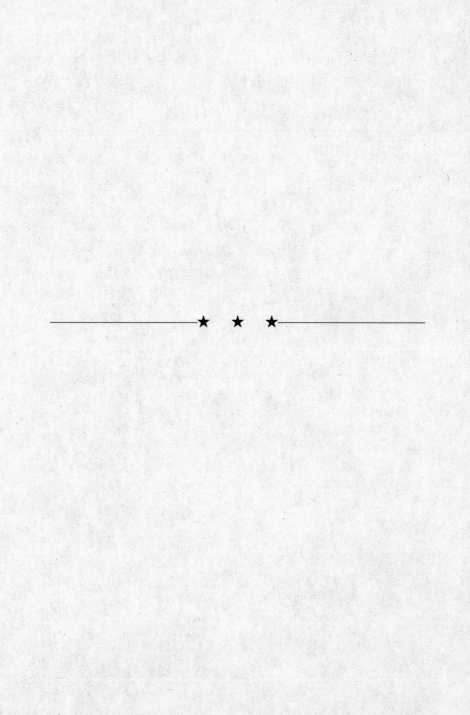

CIELOS
ABIERTOS

El *sushi* es una de las preferencias gastronómicas del abogado Joaquín Pérez, y quedó maravillado con lo que le sirvieron en un lujoso restaurante en Bogotá, ubicado en un piso 14, la noche del 10 de abril de 2019. Ese día vino a revisar un par de casos, pero realmente estaba celebrando que pudo volver a ingresar a Colombia después de un episodio que aún intenta descifrar.

El jueves 31 de mayo de 2018, cuando salía del avión de American Airlines que lo había traído desde Miami a Bogotá, en el vuelo de la mañana, Pérez fue advertido por funcionarios de Estados Unidos de que agentes de Migración Colombia le iban a restringir la entrada al país, al menos temporalmente. Y así sucedió. Lo invitaron a tomar, casi de inmediato, un vuelo de regreso a Miami por una supuesta anotación.

Aunque el abogado tiene vigente su visa para trabajar en Colombia, la restricción migratoria se aplicó aduciendo causales de soberanía y discrecionalidad migratoria, y se iba a extender al menos hasta 2022.

Después de la orden de asesinarlo, cuando apoderaba al jefe paramilitar Carlos Castaño, era el episodio más difícil que enfrentaba en los 45 viajes que hasta ese momento había hecho a Colombia. Por eso, luego de las tres horas y media de regreso, empezó a averiguar con sus contactos qué era lo que estaba sucediendo.

Todo se sintetizaba y evidenciaba en un video de 3 minutos y 7 segundos grabado el 15 de enero de 2018, en uno de los patios de la cárcel La Picota, revelado por La W Radio.

En las imágenes se ve a Pérez, de traje azul y pisacorbata de oro, extendiendo su brazo izquierdo para ponerle el sello de ingreso al penal. Iba acompañado de un abogado colombiano y de otro estadounidense que se sentaron en las bancas del pabellón, dispuesto para las atenciones legales: un frío lugar, con mesas de fórmica y tubos de hierro en hilera, vigilado por decenas de cámaras.

Mientras revisaban documentos y aguardaban a que el potencial cliente que iban a ver saliera de su celda, fueron abordados por el director de la cárcel y por cuatro custodios que, con trajes camuflados azules, los expulsaron de La Picota.

"Así fue el ingreso ilegal de Joaquín Pérez al pabellón de extraditables de La Picota", decía el titular que acompañaba el video. Y se aseguraba que Pérez y el ciudadano estadounidense Rafael de la Garza fueron sorprendidos por el propio director del penal, el coronel (r) Germán Ricaurte, quien denunció los hechos y les reclamó por el supuesto ingreso ilegal.

"Desafío a que me demuestren que ingresé ilegalmente a La Picota, como señalan. No pagué un peso por entrar. Eso es difamatorio. Estuve con mi colega Rafael de la Garza visitando a unos clientes sujetos a extradición por un caso en Texas. Y uno de ellos es un joven de veintiún años, de nombre Juan Esteban Castillo Flórez, que estaba colaborando con la justicia americana. Mi visita era para promover esa cooperación. De hecho, días antes lo habían ido a visitar agentes de la DEA y yo tenía autorización de la Fiscalía para visitarlo. Un derecho fundamental es el de consultar con el abogado de la defensa. ¿Cómo se justifica negar ese derecho? ¿Cómo puede un país de leyes negar acceso a la defensa? Ese día pasamos todos los filtros apropiados y no conozco a ningún funcionario del Inpec [...]. No sé quién promovió eso, pero mintieron y entregaron información que no era. El Inpec concluyó que supuestamente yo violé reglas carcelarias sin siquiera haberme dado la oportunidad de ejercer mi defensa. Después de todo, lo que hice fue ir a visitar un cliente que necesitaba mi ayuda legal. Un derecho universal a la defensa del acusado y del privado de su libertad".

La versión a la que se refiere Pérez es la que indica que iba a visitar a un supuesto lugarteniente de 'Megateo', de apellido Diago, o a Washington Prada, el llamado 'Pablo Escobar' ecuatoriano.

"Ellos no están en la lista de mis clientes, nunca he hablado con ellos. Fui a acompañar al abogado americano Rafael de la Garza en su primera visita a Colombia, para ver

a Juan Esteban Castillo. No he pagado ni pagaré un solo peso para hacer mi trabajo. Tengo permiso para ejercerlo. La decisión de negarme la entrada a un país por el que guardo afecto me obliga a limpiar mi nombre, injustamente manchado. Tengo setenta años, he trabajado en todas partes del mundo y puedo pasar el resto de mi vida sin ir a Colombia. Pero me niego a ser encontrado culpable sin un debido proceso que mancha mi trabajo de tantos años".

El abogado colombiano Enrique Arce fue quien se encargó de solicitar los permisos para el ingreso de Pérez y de su acompañante a La Picota. En la investigación se estableció que ese 15 de enero ingresó al mismo tiempo otra abogada colombiana de apellido Betancourt; ambos fueron indagados para establecer lo que en realidad sucedió. Según Arce, todo se trató de un malentendido que ya se estaba aclarando.

Pérez contrató un abogado y exigió que se justificara legalmente el veto migratorio. Al final, estableció que no había base para impedirle su ingreso a Colombia y que no era cierto que hubiera entrado a La Picota de manera ilegal a visitar al llamado 'Pablo Escobar' ecuatoriano ni a ningún miembro del grupo de 'Megateo'.

Después de ese episodio, ha vuelto al país en vuelos privados y comerciales, ingresando por Barranquilla y por Bogotá, sin novedad.

Ahora tiene una nueva lista de clientes colombianos y extranjeros, cuyos nombres mantiene bajo reserva, pero sí habla de los delitos por los que son procesados: van desde sobornar a un expresidente centroamericano para sacar embarques de droga hasta coordinar una flotilla de aviones privados para mover cocaína pura hacia Estados Unidos. Este último caso es muy similar al que llevó a Pérez a iniciar su carrera en Colombia, hace casi tres décadas, lo que significa que el negocio no ha cambiado.

En cuanto al coronel (r) Germán Ricaurte Tapia, entonces director de La Picota que señaló a Pérez, fue condenado (en agosto de 2021) a pasar 36 meses en una cárcel similar a las que antes custodiaba.

Un juez de primera instancia lo encontró responsable de acosar sexualmente a subalternas cuando fungía como director de la cárcel de Cúcuta. Además de enviarlo a prisión, el juez decidió inhabilitarlo para el ejercicio de funciones públicas también durante 36 meses.

Ricaurte Tapia alegando su plena inocencia, presentó de inmediato recurso de apelación ante la Sala Penal del Tribunal Superior del Distrito Judicial de Cúcuta. Alegó que radicó varias peticiones, en especial una de fecha 11 de enero de 2022, relacionadas con la prescripción de la acción penal en su contra. Por eso pidió absolución.

Incluso, interpuso una acción de tutela pidiendo que le fueran amparados sus derechos fundamentales al debido proceso, igualdad y libertad, y, por consiguiente, "se ordenara a la Sala Penal del Tribunal Superior del Distrito Judicial de Cúcuta que diera respuesta de fondo a sus ruegos de absolución y prescripción de la acción penal, ordenando su libertad inmediata".

El 22 de marzo de 2022, la Corte Suprema de Justicia le negó la tutela.

"En el presente caso, la parte actora se encuentra a la espera que sea resuelto el recurso de apelación interpuesto contra la sentencia condenatoria emitida en primera instancia dentro del proceso penal 2017-01865. Siendo así, el accionante no puede solicitar la protección constitucional, pues ello atenta contra los principios de residualidad y subsidiariedad que caracterizan este instrumento [...]. Finalmente, tampoco se advierte la existencia de una situación excepcional que habilite el amparo para evitar la configuración de un perjuicio irremediable", se lee en la decisión del alto tribunal, firmada por los magistrados José Francisco Acuña Vizcaya, Fernando León Bolaños Palacios, Patricia Salazar Cuéllar y Nubia Yolanda Nova García.

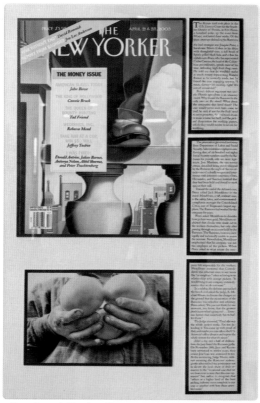

El abogado Joaquín Pérez tiene en su oficina de Miami el recorte del periódico *The New Yorke*r con el reportaje sobre el caso de los recolectores ilegales de naranjas en los Estados Unidos, que le dejó una enseñanza que jamás olvidará.

A la mesa redonda, ubicada en sus oficinas de Miami, se han sentado criminales, capos del narcotráfico, paramilitares, empresarios, expresidentes y personalidades de la farándula que terminaron salpicados por casos de lavado y narcotráfico. Otro grupo se ha acercado a Pérez para recuperar sus visas a los Estados Unidos. Una mesa que conoce miles de secretos.

© Foto: Penguin Random House

El ejercicio del derecho de Joaquín Pérez lo ha puesto en el foco de medios alrededor del mundo, por el calibre de los criminales que ha representado. En su despacho, Pérez cuelga varios de los reportajes sobre los casos en los que ha sido protagonista.

© Foto: Penguin Random House

▶ Esculturas, cuadros y un águila de bronce,
obsequiados por sus clientes agradecidos,
están en su oficina, al lado de una placa que le
entregó la DEA.

Los más de 2.000 clientes que han pasado por sus manos obligan
a Joaquín Pérez a incinerar cada cinco años viejos expedientes con
parte de la historia del crimen en Colombia y el mundo.

Joaquín Pérez se reunió en calidad de abogado en al menos 30 oportunidades con el jefe paramilitar Carlos Castaño en sus campamentos en la selva colombiana.

Joaquín Pérez en uno de sus primeros viajes a Colombia, en la década de los 90. La situación del país era tan compleja que se vio obligado a contratar esquema de seguridad, que incluía varios escoltas y camionetas de alta gama.

"Es un honor el que se me permite el firmarle este libro al *more big Master of the negotiation judicial in America*. Dios permita que en algún momento también me pueda considerar su amigo: Rodrigo Tovar Pupo", se lee en una dedicatoria que el exparamilitar alias 'Jorge 40' le escribió, de su puño y letra, al doctor Joaquín Pérez.

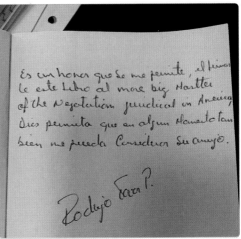

SECCIÓN DE OBRAS DE POLÍTICA Y DERECHO

LA DIPLOMACIA

Con todo el Cariño y admiración del Mundo al Mejor Abogado de los Estados Unidos. al mas inteligente e influyente. Me Siento Orgulloso y Muy Feliz que Ud haya Podido Representarme y devolverme la Esperanza de Recobrar mi libertad Prontamente, Libertad que tambien es la de mi familia y todos mis Seres Queridos. Con todo mi Aprecio Para el Comandante En Jefe de todo este Proceso Joaquín Pérez.

Con Aprecio del Comandante Salvatore Mancuso —

9/12/08

El 9 de diciembre de 2008, Salvatore Mancuso le escribía una generosa carta de agradecimiento a su abogado Joaquín Pérez, en la que le confiaba el deseo de recobrar su libertad.

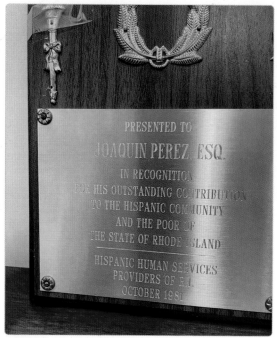

El abogado Joaquín Pérez fue reconocido por su ayuda a sectores vulnerables. Con esta placa, la comunidad de Rhode Island (Estados Unidos) le expresa su agradecimiento por las gestiones adelantadas en favor de la comunidad hispana y pobre de la isla.

Es posible que Joaquín Pérez viva más tiempo subido en un avión que en tierra. Debe desplazarse a cualquier lugar del mundo para conversar con sus clientes. En la imagen, a bordo de un vehículo de alta gama en Dubái (Emiratos Árabes Unidos).